벼락을 맞았습니다

나를 살리신 하느님

글로리아 폴로 오르티츠 씀

차 베네딕토 옮김

 아베마리아출판사

이 책은 볼리비아의 코차밤바 대교구의
'새복음화 사도직회'가 펴낸
"Der Blitz hat eingeschlagen"(벼락이 쳤습니다)을
우리 말로 옮긴 것입니다.

차례

하느님의 십계명 시험

우리에게 주어진 두 번째 기회

책머리에

이 책은 현재 독일, 스위스, 오스트리아를 비롯한 많은 지역에서 수많은 사람들에게 감명을 주고 있는 책, "Der Blitz hat eingeschlagen"(벼락이 쳤습니다)의 번역본입니다.

제가 2008년 여름 독일에 머물고 있었을 때 이 책의 저자 글로리아 폴로 오르티츠Gloria Polo Ortiz 박사가 독일 뮌헨과 오스트리아의 잘츠부르크에서 강연을 했었습니다. 수천 명의 청중이 그녀 안에서 드러난 하느님의 자비로운 섭리에 큰 감명을 받고 눈물을 흘렸습니다.

저자는 지금 유럽을 비롯한 세계 곳곳을 다니며 하느님께서 자신을 통해 하신 일을 전하고 있습니다.

이 책의 저자인 글로리아 폴로 오르티츠 박사는 콜롬비아의 치과 의사로서 1995년 5월 5일 콜롬비아의 수도인 보고타의 보고타 국립대학에서 일어난 사건을 직접 체험한 사람입니다.

그날 그녀는 대학에서 논문 자료를 정리하기 위하여 다른 건물로 가던 중 역시 치과 의사인 조카와 함께 벼락을 맞았는데 조카는 그 자리에서 즉사했습니다. 그러나 그녀는 죽음 직전의 상태에서 기적적으로 완전히 치유된 후 그때 일어난 사건들에 대한 임사체험臨死體驗을 전하고 있습니다.

벼락을 맞았을 때 그녀의 살 전체가 숯처럼 타버렸고, 간과 신장과 허파도 회생 가능성이 없을 정도가 되었습니다. 심장도 이미 멎은 상태였습니다. 모든 의사들은 소생 가망성이 없는 것으로 판단하고 포기한 상태에서 역시 의사인 그녀의 동생의 끈질긴 노력으로 다시 소생하게 되나 또다시 장시간 심장이 멎게 됩니다.

그리고 그녀의 영혼이 육체를 이탈하여 자기 주변에서 일어나는 일들을 보며 죽음의 상태에서 저 세상과 이 세상을 오가는 체험을 하게 되는데 이 모든 것을 상세하게 기록하고 있습니다.

일반적으로 심장이 멎은 상태에서 뇌에 산소가 공급되지 않으면 심각한 뇌 손상을 입게 되는데, 글로리아 박사는 기적적으로 아무런 뇌 손상도 입지 않고 모든 피부와 내장 기관이 정상적으로 돌아오는 기적을 체험하였습니다. 이 모든 것은 하느님의 은총 덕분이었습니다.

저자는 어릴 때 엄격한 어머니의 신앙교육을 받고 자랐습니다. 하지만 성인이 되어감에 따라 자주적인 삶을 추구하며 속박된 윤리적 삶에서 벗어나 합리주의와 자유사상에 젖어 살았습니다. 신앙심도 없었기에 미사는 형식적으로 참례했고 성체성사에 대한 믿음도 전혀 없었습니다. 물론 악마와 지옥의 존재에 대해서도 부정적이었습니다.

그러나 그녀의 잠재의식 속에는 어릴 때 어머니로부터 받은 신앙교육의 기본 흐름이 내재되어 있었던 것 같습니다. 그런 잠재의식이 그녀의 임사체험에서도 작용했다고 생각됩니다.

하느님의 개입으로 일어나는 것을 인간이 체험하는 것은 그 사람의 자의식과 세계관, 윤리관 및 신학적인 소견 등을 통해 함축적이고 상징적인 언어로 표현된다는 것을 감안할 때, 이 책의 저자가 체험한 임사체험도 그런 선상에서 이해할 수 있습니다.

저자가 체험한 모든 표현대로 사후 세계가 똑같이 일어난다고 볼 수는 없으나, 이런 표징들을 통해 이 세상과 완전히 다른 차원에 속하는 사후 세계에 대한 암시를 주고 있다고 볼 수 있습니다. 특히 사후 세계에 대해 부정적인 사람들에게 하나의 교훈을 줄 수 있을 것입니다. 또한 이 책은 윤리의식과 죄의식이 희박해져 가는 현대인들에게 경종을 울리며 그들이 하느님의 가르침을 겸손하고 소중하게 받아들이는 데 도움이 될 수 있다고 봅니다.

2009년 성 요셉 성월에
파티마의 세계 사도직 한국본부장
하 안토니오 몬시뇰

예수 그리스도 안의 형제자매들께!

제가 그토록 값진 신앙 체험을 한 지 벌써 십여 년이나 지났습니다. 그것은 하느님의 위대한 은총이며 선물이었습니다. 그때 하느님께서는 제가 가톨릭 신자로 살아가고, 또 그에 따른 영적 체험을 하도록 자비로이 허락해 주셨습니다.

하지만 지난 몇 해 동안의 제 삶을 돌아보면 고통도 매우 컸지만 은총은 더더욱 컸습니다. 그 몇 해 동안 가톨릭 신자로서의 제 모습은 일종의 "타오르는 가스 불꽃"이었습니다. 주 하느님께서 제게 가톨릭 교회의 문을 열어 주시고 어머니를 주신 것에 깊이 감사드립니다.

저는 예수 그리스도의 이름으로, 하느님의 지상 대리자인 교황님과 우리 가톨릭 교회의 모든 사제들과 수도자들과 굳건히 맺어져 있음을 제 마음과 영혼 깊은 곳으로부터 느끼고 있습니다. 이 모든 분들께 저는 무조건적으로 순명합니다. 이는 우리 주 예수 그리스도께서 저를 이 지상의 삶으로 다시 돌아가게 하시면서 제게 명하신 바이기 때문입니다.

주님의 은총을 받기에 도저히 합당하지 못하고 비천한 종인 저는 미사에 참례하여 기도하는 중에 심오한 체험을 할 수 있었습니다. 저는 이 세상에서는 맛볼 수 없는 참된 평화와 사랑의 행복과 환희를 깊이 체험할 수 있었습니다. 그것은 천상의 낙원을 미리 맛보는 것이었습니다.

그러므로 저는 그리스도를 믿고 따르면서도 갈라져 나간 모든 교회의 형제자매님들을 진심으로 초대합니다. 비록 그동안 가톨릭 교회에 반대하는 나쁜 말도 하고 나쁜 글을 썼다고 하더라도 말입니다. 그들이 우리 로마 가톨릭 교회를 정확하게 보다 더 잘 알아서, 가톨릭 교회는 주님께서 세우신 참된 신앙의 수호자라는 것을 알게 되도록 초대합니다.

또한 모든 사람들이 우리 주님이신 하느님께 기도드리는 사람이 되고 또 그렇게 하도록 초대합니다. 매일같이 거룩한 제대의 성사 안에 계시는 우리 주 예수 그리스도를 방문하고 공경하는 사람은 참된 신앙을 의심하거나 분별력을 잃지 않게 될 것입니다. 왜냐하면 우리 주님이신 그분께서 직접 모든 사람들의 마음속에 거룩한 어머니이신 교회, 곧 가톨릭 교회에 대한 사랑과 고마움을 심어 주시기 때문입니다. 저는 우리 주 예수 그리스도께서 제게 보여 주신 사랑으로 여러분 모두를 사랑합니다.

저자 글로리아 폴로 오르티츠

들어가면서

"하느님께서는 끊임없이 거듭해서 증거를 보여 주시지만
인간은 거듭해서 하느님의 존재를 부정한다."

"하느님은 존재하지 않아!"라고 단정하거나, "하느님이 정말 존
재하실까?"라고 의심하거나, 또는 "저 세상은 공상가의 조작일
뿐이야!"라고 치부해 버리거나, "죽음으로 모든 것이 다 끝나는
것이 확실해!"라고 믿는 사람은 이 작은 책을 꼭 읽어 주시기 바
랍니다.

이 책은 1995년에 생겼던 사건과 그 후에 일어났던 일을 기
록한 것입니다. 글로리아 폴로 박사는 콜롬비아 출신으로, 사고
를 당해 "죽었던" 여성 치과 의사입니다. 그 사고로 그녀는 매
우 위중한 상태에 빠졌고, 며칠 동안 혼수상태에 있었으며, 의
료 장치를 통해서만 생명을 유지할 수 있었습니다. 의료 장치를
떼어내면 그 즉시 죽을 상황이었습니다. 그녀를 담당하던 의료
진들은 이미 그녀를 포기했었고, 그래서 모든 조치를 중단시킬
참이었습니다.

하지만 바로 그 시점에 하느님께서 그녀의 삶에 개입하셨습

니다. 그녀는 혼수상태에 빠져 있는 동안에 이 세상이 아닌 그곳, 바로 저 세상에 서 있었습니다. 그리고 하느님의 존재를 부정하고 하늘나라를 부정하는 사람들에게 자신이 체험한 모든 것의 증인이 되고 영적 세계를 증명해 보이기 위해 지상으로 다시 돌아왔습니다.

그녀는 그곳에서 아주 중대한 복음을 들고 돌아왔습니다. 이제 여러분은 그녀가 들고 온 그 복음을 이 책에서 직접 읽으시거나, 그녀의 입을 통해 직접 들으실 수 있습니다.

글로리아 폴로 박사는 자신의 신비적 체험을 통해, 지금 우리 시대의 모든 이들이 자신의 "생명의 책"에 눈을 돌리도록 합니다. 그녀가 한 이 체험은 그의 온 존재를 뒤흔들었고, "신앙의 사막"이라 일컬을 수 있는 지금 우리 시대에서 하느님과 천상의 신비를 소리 높여 전하는 소명을 갖도록 했습니다.

그녀가 전하는 복음의 본질과 그녀의 체험은 인간에 대한 하느님의 사랑과 하느님의 심오한 자비를 다시금 확인시켜 줍니다. 그녀는 현 교황 베네딕토 16세가 첫 번째 회칙인 「하느님은 사랑이십니다」를 통해 선포한 것과 동일한 내용을 반복하여 강조하고 있습니다. "하느님은 사랑이십니다."

볼리비아 코차밤바 대교구
'새복음화 사도직회'

1

"벼락을 맞았습니다"

제 몸의 살 전부는 엄청난 벼락으로 인해 숯처럼 타
버렸습니다. 두 젖꼭지는 사라져 버렸고 특히 왼쪽
가슴에는 큰 구멍이 생겼습니다. 몸에 살이라곤 찾
아볼 수 없었고, 입술, 복부, 하체뿐만 아니라 발도
완전히 타버렸으며, 번개는 제 몸의 안과 밖을 시꺼
멓게 태운 뒤 오른발을 통해 빠져 나갔습니다.

하느님께서 제게 주신 이 커다란 선물을 주님 안의 모든 형제자매님들과 함께 나눌 수 있게 되어서 너무 기쁘고 행복합니다.

제가 지금부터 여러분에게 들려 드릴 이야기는 1995년 5월 5일 오후 4시 30분경 콜롬비아의 수도인 산타페 데 보고타에 있는 보고타 국립대학에서 시작되었습니다.

저는 치과 의사입니다. 하루 종일 비가 내렸던 그날 금요일, 같은 치과 의사인 제 조카(23세)와 함께 저는 논문을 쓰고 있었습니다. 그러던 중 제 남편과 함께 우리는 필요한 책 몇 권을 가지러 치의학과 쪽으로 걸어가고 있었습니다.

저는 조카와 함께 작은 우산을 쓰고서 물웅덩이를 피해 이쪽저쪽으로 걸음을 옮기며 걸어가고 있었습니다. 남편은 방수 망토를 입고서 비를 피하려고 중앙도서관 벽을 따라 걸어가고 있었습니다.

그런데 조카와 제가 미처 알아차리지 못한 채 나무들이 양쪽으로 늘어선 길로 접어든 순간에, 좀 큰 물웅덩이를 뛰어넘으려고 하는 그 찰나에 우리는 벼락을 맞았습니다. 순식간에 우리를 숯덩이로 만들 만큼 강한 번개였습니다. 조카는 즉사했습니다.

사랑하는 조카는 외관상으로는 멀쩡했지만 등 뒤에 벼락을 맞아서 몸 내부가 완전히 타버렸던 것입니다. 매우 젊은 나이였지만 그는 모든 일에 있어 하느님께 온전히 의지하던 신앙인이었으며, 특히 아기 예수님께 대한 신심이 매우 컸습니다.

그는 석영 크리스탈로 만든 메달을 항상 목에 걸고 있었는데, 법의학 전문의의 소견으로는 그 석영이 그 같은 치명적인 결과를 가져왔다고 했습니다. 번개의 고압 전류가 석영을 통해 그의 심장을 관통하면서 왕성하게 활동하던 심장을 정지시키고 그의 내부기관을 모조리 태워 버린 후 발을 통해 몸 밖으로 흘러 나갔던 것입니다. 심폐 소생 시도는 아무런 소용이 없었습니다. 그런데도 외관상으로는 아무런 흔적이 없었습니다.

제 경우는, 벼락이 팔 위쪽에서 들어와 몸 전체를 태워 버렸는데, 겉으로 보기도 그랬지만 몸의 내부도 끔찍한 상태였습니다. 지금 여러분이 보는 제 몸은 하느님의 자비 덕분에 다시 재생된 것입니다. 선하시고, 무엇보다도 우리를 사랑하시는 하느님의 자비가 이 몸을 통해 드러난 것입니다.

제 몸의 살 전부는 엄청난 벼락으로 인해 숯처럼 타버렸습니다. 두 젖꼭지는 사라져 버렸고 특히 왼쪽 가슴에는 큰 구멍이 생겼습니다. 몸에 살이라곤 찾아볼 수 없었고, 입술, 복부, 하체뿐만 아니라 발도 완전히 타버렸으며, 번개는 제 몸의 안과 밖을 시꺼멓게 태운 뒤 오른발을 통해 빠져 나갔습니다.

간과 신장도 심하게 타버렸고, 허파와 난소 역시 마찬가지였습니다. 저는 피임을 위해 루프를 사용하고 있었습니다. 그것은 구리로 만든 것인데, 구리는 참 좋은 전도체입니다. 그렇기에 아마도 제 난소 두 쪽이 그렇게도 심하게 타버렸을 것입니다.

얼마나 심하게 탔는지 마치 말라비틀어진 포도알마냥 작고 새까맣게 되어 있었습니다.

벼락이 제 몸에 닿은 즉시 저는 심장마비 상태에 빠졌고, 사실상 죽은 목숨이었습니다. 벼락으로 인한 전기 충격 때문에 몸은 움츠러든 채 심하게 떨고 있습니다. 땅이 젖어 있었는데도 여전히 전기가 흐르고 있었습니다. 그렇기에 바로 그 순간에는 아무도 저를 도울 수가 없었습니다. 제 몸뚱이를 만지는 것이 한참 동안 불가능했습니다.

"글로리아! 하느님께서 당신에게 하신 기적은 너무 엄청나서 믿을 수가 없어요"

심한 부상과 화상을 당한 것은 물론이요 심장 활동이 정지되어 있었고, 더욱이 제 몸과 주변 바닥에는 전기가 흐르고 있었습니다. 그래서 사람들이 저를 도울 수 없어 시간이 지체됨으로써 생명이 매우 위중했습니다.

그런데 우리 주 하느님께서는 그때부터 특별한 방식으로 당신의 크나큰 선하심과 무한한 자비를 드러내시고 증명하셨습니다. 그분은 우리 모두를 당신의 성심으로 감싸시고 우리 한 사람, 한 사람이 당신께로 돌아오도록 늘 새로운 방법으로 초대하고 계시는 분입니다.

제 몸으로 입증할 수 있는 개별적인 세 가지 상태를 통해 하느님의 이 기적을 여러분에게 보여 주고 싶습니다.

첫 번째는 심장 정지 상태인데, 이것은 뇌 기능 유지에 중요한 산소 공급 부족을 야기하여 뇌에 치명적인 손상을 남기게 됩니다. 심장 정지에 관한 전문의의 소견은 이렇습니다. "즉각적인 심폐 소생 조치만으로 생명을 구할 수 있지만, 심장 정지가 된 지 3분이 지나면 뇌에 산소 부족을 가져와 돌이킬 수 없는 손상을 야기한다. … 지금까지 급성 심장 정지 환자들의 경우 생명을 건지거나 큰 정신적 장애 없이 살아나는 기회는 극도로 미미하다."

이 사실에 비춰볼 때 제 심장은 장시간 정지 상태에 있은 후에야 비로소 인공 심폐기에 연결될 수밖에 없었는데도, 지금 여러분이 보는 바와 같이, 혼수상태로 있다가 깨어난 후에도 뇌에 전혀 손상이 없었습니다.

그 당시 보고타 병원의 여러 의사들은 같은 병원의 의사로 일하던 제 여동생에게, 인공 심폐기를 제 장기에 계속 연결해 두는 것은 무의미한 일이라고 하며 즉각 제거해야 한다고 단정하면서 동생이 결정을 내리도록 설득하려 했습니다. 그들로서는 최선의 조치였음에도 불구하고 제 여동생은 완강하게 버티면서 병원에 온갖 영향력을 다 행사하여 언니인 제 몸에 계속해서 그 기계를 연결해 놓도록 했습니다. 따라서 이것은 의학적으로는 도저히 설명될 수 없는 위대한 기적입니다.

심장과 마찬가지로 숯처럼 되어 버린 제 신장과 허파가 다시 기능을 회복한 것도 기적입니다. 의사들은 제게 혈액투석을 하지 않았습니다. 왜냐하면 제 신장이 더 이상 기능하지 않을 것으로 여겼기 때문입니다. 더 이상 인공적으로 신장 기능을 대체할 필요가 없다는 것이 그들의 소견이었습니다. 즉 다시 살아날 가능성이 없다는 것이었습니다. 하지만 그들의 의학적 판단에도 불구하고 검게 타버렸던 제 신장은 다시 제 기능을 발휘하기 시작했습니다.

마찬가지로 피부가 재생된 사실도 큰 기적이 아닐 수 없습니다. 새까맣게 타버린 피부를 몸에서 뜯어내고 제대로 벗겨 낸 후에 제 몸은 완전히 열상裂傷 천지였습니다. 그야말로 생살 그대로였습니다. 그로 인한 고통을 어떻게 표현할 수 있겠습니까! 마치 불에서 구운 것처럼 타버렸습니다. 숨을 쉴 때마다 안팎으로 타들어 가듯 아팠습니다.

모든 부위가 다 아팠지만, 발 아래쪽으로는 아무런 감각이 없었습니다. 의사들이 피부를 소독할 때면 이루 말할 수 없이 고통스러웠지만 발은 아무런 느낌도 감각도 없었습니다. 발은 마치 숯막대기 같았습니다. 완전히 새까맣게 되어 있었습니다.

한 달 후 의사들이 제게 와서 이렇게 말했습니다. **"글로리아! 하느님께서 당신에게 하신 기적은 너무 엄청나서 믿을 수가 없어요. 거의 모든 피부가 재생되었습니다. 정말 놀랍습니다. 지금 여기 생성된 것은 얇은 피부막이고, 그 사이사이에 생살인 부분이 여전히 많아요. 하지만 연한 피부가 생성된 부위로 볼**

때, 곧 몸 전체가 다시 피부 보호막으로 덮일 것이란 희망을 가질 수 있겠습니다. 하지만 다리가 염려됩니다. 이 부분은 우리가 더 이상 할 수 있는 것이 없습니다. 유감스럽지만 발을 절단해야겠습니다."

저는 예전에 운동을 매우 좋아했고, 특히 에어로빅 댄서의 팬이었습니다. 그런데 그런 다리를 잘라 내야만 한다는 말을 들었을 때 저는 이 한 가지만을 생각했습니다. '가능한 한 빨리 이 병원에서 도망쳐야만 해. 내 다리를 살리기 위해서는 이곳을 빠져 나가야겠어.'

그래서 의사들이 병실을 나서자, 저는 거기서 빠져 나가려고 병상에서 몸을 일으켜 세웠습니다. 하지만 한 발을 내딛자 다리가 지탱하지 못하고, 마치 난생처음 뜀뛰기를 하는 개구리나 두꺼비가 바닥에 배를 깔고 내려앉는 것처럼 그대로 앞으로 엎어졌습니다.

그래서 사람들이 저를 바닥에서 일으켜 올려서는 그곳 5층에서 7층으로 데리고 갔습니다. 아, 그런데 그곳에서 제가 누구를 만났는지 짐작할 수 있겠습니까? 저는 거기서 무릎 아랫부분을 절단한 한 여자를 만났습니다. 그녀는 그때 다시 다리 윗부분을, 즉 엉덩이 아랫부분을 절단하기 위해 기다리고 있었습니다. 그래서 저는 그녀의 모습을 보면서 '새 다리를 사려면 돈이 얼마나 필요할까?' 하고 생각했습니다. 그러면서 제 다리를 보며 생각했습니다. '세상의 모든 금으로도 너는 새로운 다리를 얻을 수 없을 거야.'

그러므로 지금 저의 이 두 발이 바로 기적입니다. 제 다리를 절단해야겠다는 말을 들었을 때 저는 어떻게 말로는 형언할 수 없는 슬픔에 빠졌고, 그와 동시에 제가 그때껏 살아오면서 주님께 제 다리의 기적에 대해 단 한 번도 감사한 적이 없었다는 생각이 처음으로 들었습니다. 감사하기는커녕 뚱뚱해지지 않으려고, 체중이 늘어나는 것을 막으려고 다리를 비롯해 저의 온 몸을 얼마나 괴롭혔던가요. 어리석게도, 남들 눈에 날씬하게 보이려고, 날씬한 다리를 가지려고 자주 굶었으며 다이어트와 기타 요법을 위해 돈을 잔뜩 썼습니다. 정말 많은 돈을 썼습니다!

그런데 '이제는 근육은 찾아볼 수 없고 깡마르고 새까맣고 양쪽 모두 구멍이 숭숭 난 발을 보게 되다니…. 그러면서도 지금 난 주님께 이 엉망진창이 된 다리를 감사하고 있구나.' 라는 생각이 들었습니다.

그 순간 갑자기 저의 두 다리가 아주 귀하게 여겨졌습니다. 다리를 볼 수 있다는 것이 중요한 게 아니라 그 기능이 중요하게 다가왔습니다. 기능을 되찾는 것만이 중요하게 여겨졌습니다. 그리고 그것에 대해 저는 주님께 감사드렸습니다. 그리고 사랑하는 주님께 이처럼 말씀드렸습니다.

"주님, 이 두 번째 기회를 제게 주셔서 감사합니다. 감사합니다. 정말 받을 자격이 없는 제게 이 기회를 주셔서 정말 감사합니다. 하지만 사랑하는 주님, 제게 한 가지 은혜를 베풀어 주시길 진심으로 청합니다. 아주 소박한 은혜를 베풀어 주소서. 엉망진창이 된 제 다리를 적어도 그대로 둘 수 있도록 해 주십시오. 제가 적어도 반쯤 움직일 수 있도록, 반쯤이라도 제대로 설수 있도록 해 주십시오. 청하오니, 적어도 지금 있는 그대로 둘수 있도록 해 주십시오. 그렇게 해 주시면 주님께 늘 감사하겠나이다."

그리고 갑자기 제 발의 감각을 느끼기 시작했습니다. 금요일이었습니다. 그리고 금요일에서 월요일 사이에, 작은 기포가 있는 검은 레몬레이드가 든 유리잔처럼 보이던 생기 없던 검은 다리가 천천히 붉은색을 띠며 밝아지기 시작했습니다. 숯이 된 다리에서 점점 더 넓게 혈액순환이 이루어지는 것을 직접 느낄 수 있었습니다. 그러면서 '이것이 내 다리구나!' 라는 느낌을 가질수 있었습니다.

드디어 월요일, 다리를 절단하기 전 마지막 검사를 하기 위해 제 병상으로 의사들이 회진을 왔을 때, 제가 침대에서 일어나 두 발로 버티고 서자 그들은 깜짝 놀랐습니다. 더욱이 저는 그들 앞에서 넘어지지 않았습니다. 의사들은 저를 검사하며 계속해서 제 발을 만져보더니, 도저히 믿을 수 없다는 표정이었고 자기들의 눈을 의심했습니다.

저는 그들에게 제 다리로 할 수 있는 동작들을 보여 주었습니다. 하지만 다리에 말할 수 없을 만큼 심한 통증이 있었습니다. 그럼에도 그 순간 발에 그토록 큰 통증을 느낄 수 있다는 사실 자체가 너무 행복했습니다. 다리가 제 몸의 한 부분으로 다시 돌아온 것이었습니다. 이 모든 것이 의학적으로는 설명될 수 없는 방식으로 일어났으며, 그러기에 의사들은 그저 놀랄 뿐이었습니다.

병원 7층의 의료과장도 제게 이렇게 말했습니다. "글로리아, 제가 의사로 일한 지 38년째인데 이렇게 큰 기적을 본 것은 처음입니다."

주님 안의 사랑하는 형제자매님들, 저의 이 두 다리와 발을 확인해 보십시오! 다시 살아난 저의 두 발을 보십시오! 자만심이나 허영이 아니라 하느님께 영광을 드리기 위해, 여기 여러분 앞에서 제 다리를 뽐내며 걸어보겠습니다. 살아 계시는 주 하느님의 위대한 업적, 우리에 대한 하느님의 끝없는 사랑과 전능을 증명해 보이기 위해서 걸어보겠습니다.

유방과 난소의 재생

주님께서 제게 하신 또 다른 큰 기적은 다음과 같습니다.

사고 후 제 유방은 사라지고 없었습니다. 상상해 보십시오. 저는 허영심이 많은 여자였기에 평소에 그것을 매우 자랑하며 다녔습니다. 제 모토는 이랬습니다. "여자는 자연으로부터 선물 받은 매력을 마음껏 발산하고 활용해야만 한다."

그래서 평소에 저는 혼잣말로 '내가 가진 것 중 가장 최고는 여기 나의 가슴, 나의 발, 내 몸매는 최고야. 성적인 매력이 풍기는 신체이니 이걸 맘껏 보여 주어야지.' 라고 하며 제 자신에 대해 자부심을 갖곤 했습니다.

저는 항상 저의 여성적인 매력을 몹시 과시하며 선보이곤 했습니다. 제 몸매의 굴곡을 강조하여 엉덩이를 조금이라도 더 돋보이게 하는 쪽으로 몸을 움직이곤 했습니다. 그리고 늘 다른 이의 주목을 받았습니다. 저의 아름다운 가슴을 강조하고 사람들에게 보여 주기 위해 늘 목선이 크게 드러나는 옷을 입었습니다. 그리고 많은 돈과 노력을 투자하여 아름다운 각선미를 만들었습니다.

그런데 여러분이 지금 보다시피 바로 그 허영심을 지탱해 주던 중요한 것들이 거의 타버린 것입니다. 그 모든 것이 숯처럼 검게 되어 이제는 전혀 호감을 주지 못하게 되어 버렸습니다.

이제 하느님께서 제게 이루신 놀라운 업적에 대해 계속 이야기하겠습니다.

어느 날 저는 사고 전에 저의 신체 활동과 경과를 늘 관리하던 의사에게 갔었습니다. 그는 자신의 몸매를 위해 굶고, 몸매 때문에 약이나 마약 등을 들이마시며 인위적인 온갖 훈련과 시술로 몸매를 가꾸는 여자들을 보는 데 익숙한 의사입니다.

그는 갑자기 반쯤 화상을 입고 엉망진창이 된 제 몸을 보고는 자신의 눈을 믿을 수 없어 했습니다. 그는 CT를 비롯한 최신 기기, 그리고 방사능 기기를 동원하여 의학적으로 가능한 검사를 모두 다 했습니다.

검사 후 그가 제게 말했습니다. "글로리아, 아시겠지만, 그나마 남아 있는 조그만 간으로 살아갈 수는 있을 겁니다. 하지만 난소는 완전히 쪼그라들어서 마치 말라비틀어진 포도송이 같습니다. 따라서 이제 결코 아이를 낳을 수는 없습니다."

이 말을 들으면서 저는 속으로 생각했습니다. '주님, 감사합니다. 주님께서는 이런 방식으로 가족계획에 관한 고민을 없애 주셨네요. 자연스런 방식으로 불임이 되었으니. 하느님, 이렇게 해 주셔서 감사합니다. 주님께 영광을 돌립니다. 주님, 정말 감사합니다. 저는 지금 행복합니다. 적어도 걱정거리 하나가 줄었으니까요.'

하지만 그로부터 1년 반쯤 지났을 무렵, 한때 유방이 있던 자리였지만 그때는 젖꼭지 부위가 피부로 뒤덮여 있던 그 자리가 갑자기 당기고 가렵기 시작했습니다. 그리고 피부가 당기면서 팽창하기 시작하더니 통증이 느껴졌습니다. 어느 순간부터는 다시 젖가슴 형태가 나타나더니 점차 자라기 시작했습니다. 갑자기 유방이 다시 생겨나니 정말 신기했고 도저히 이해할 수 없었습니다.

다 무너져 버렸던 젖가슴이 다시 생겨나게 된 까닭이 무엇이 었는지 짐작이라도 할 수 있겠습니까? 제가 임신했기 때문입니다. 난소가 완전히 타버렸음에도 불구하고 임신을 했던 것입니다. 그래서 하느님께서 제게 가슴을 다시 주셨던 것입니다. 그리고 제가 낳은 아주 예쁘고 매우 건강한 딸에게 엄마인 제가 이 젖가슴으로 직접 젖을 먹일 수 있게 되었습니다. 그렇게 해서 낳은 제 막내딸의 이름이 마리아 호세입니다.

그 후 생리도 정상적으로 되었고, 제 몸의 모든 여성 호르몬
도 균형을 이루게 되었습니다. 또한 난소에서는 다시 정상적으
로 난자가 생성되기 시작했습니다.

이 모든 것이 하느님께서 제 몸 안에서 이루셨던 기적들이
며, 저는 지금 그 기적들을 증언하고 있습니다.

몸은 지상에, 영혼은 천상에

그런데 그보다 훨씬 더 놀라운 기적을 주님께서 제 안에서 하셨
습니다. 지금부터는 그것에 관해 얘기하겠습니다. 앞서 얘기한
것은 신체적, 물질적, 물리적인 측면에 관한 것이었지만, 이것
은 다른 것이며 그보다 훨씬 더 아름답고 상상할 수도 없을 만
큼 황홀한 체험이었습니다.

이번 사고로 제가 체험했던 가장 극적이고 훌륭하며 설명할
수 없을 만치 놀라운 것은 제가 지금부터 설명하는 것이며, 하
지만 그것은 사람의 말로는 도저히 설명할 수 없는 것임을 이해
해 주기 바랍니다. 사실 그것을 이 세상의 말로 제대로 설명한
다는 것은 불가능합니다.

제 몸은 숯처럼 검게 타서 병실에 누워 있는 동안, 제 영혼은
놀랄 만큼 하얀 터널 속에 있었습니다. 그리고 어떻게 묘사할

수 없을 만큼 밝은 하얀 빛이 제 주위를 감싸고 있었는데 그 안에서 저는 환희와 평화와 행복을 충만하게 느낄 수 있었습니다. 인간의 말로는 간단히 표현할 수 없는 감정이었습니다. 그 순간에 제 안에서 흐르는 감정을 설명할 수 있는 지상의 말은 없습니다. 그 순간 저는 정말 엄청나게 황홀했고, 표현할 수 없을 만치 감정이 최고조에 달했습니다. 사람들이 죽음을 일종의 징벌로 설명하는 이유를 이해하지 못할 지경이었습니다. 저는 시공간으로부터 자유로웠습니다.

그런 빛 속에서 저는 앞으로 걸어갔으며, 형언할 수 없을 만큼 행복했습니다. 저는 기쁨에 가득 차 있었으며, 그 빛의 터널 안에서 저를 괴롭히는 것은 아무것도 없었습니다.

제 위쪽으로는 태양처럼 빛나는 하얀 빛이 있었습니다. 제가 "하얀 빛"이라고 말하는 것은 굳이 색상으로 표현하기 위해서 그런 것이지 그 빛의 색깔과 밝음을 표현할 수는 없으며 이 세상에 존재하는 색상과 비교할 수도 없습니다. 그 빛은 그야말로 황홀함 그 자체였습니다. 그 빛은 제게 정말이지 위대한 사랑과 평화의 원천 같았습니다. 그 빛과 함께, 표현할 수 없는 사랑과 제가 세상에서 알지 못했던 평화가 저를 둘러싸고 있었기 때문입니다.

그 터널 안을 지나가면서 저는 "아차! 난 방금 죽었었지." 하며 제가 처한 현실을 직시했습니다. 그 순간 제 아이들을 생각하고는 탄식했습니다. "오 하느님, 제 아이들! 제 아이들을 어떻게 해야 하나요?"

저는 직장 일로 인해 늘 바쁘고 스트레스를 많이 받는 까닭에 아이들을 위해 시간을 전혀 내어 주지 못한 엄마였습니다. 저는 이른 새벽에 집을 나서 저녁 늦게야 귀가했습니다. 그러다 보니 가족을 제대로 보살필 수가 없었습니다. 그런데 죽음의 문턱을 넘어선 그제야 저는 제 삶의 불행을 얼버무리지 않고 명백한 사실로 직시하게 되었고, 그러자 큰 슬픔이 제게 밀려들었습니다.

제 곁에 아이들이 없어 내적으로 공허함을 느낀 그 순간, 저는 몸의 무게도, 시공간 차원도 느낄 수 없었습니다. 다시 위쪽으로 시선을 두자 매우 아름다운 무엇인가를 볼 수 있었습니다.

그 순간 저는 그때까지 저와 관계되었던 모든 사람을 단 한 순간에 그것도 동시에 볼 수 있었습니다. 정말 눈 깜짝할 순간이었지만, 제 인생에서 만났던 모든 사람, 산 사람이나 죽은 사람 할것없이 모두를 보았습니다. 오래 전 세상을 떠난 증조부, 증조모, 조부, 조모, 그리고 부모님과 가볍게 포옹하기도 했습니다! 형언할 수 없이 충만하고 놀라운 순간이었습니다.

그러면서 제가 그동안 환생에 관한 사실에 속았던 것을 알게 되었습니다. 저는 사람이 죽은 후 환생한다는 사실을 아주 열정적으로 믿고 옹호했었습니다. 저의 할머니가 다른 사람으로 환생했다는 것도 의심하지 않았으며, 다만 정확하게 누구로 환생했는지는 모른 채 있었습니다. 그것을 알아내려고 점을 치려면 값이 비쌌기 때문입니다. 그럼에도 저의 증조부와 조부가 환생한 것으로 여겨지는 사람들을 재차 만나곤 했습니다.

그런데 이제 진짜로, 환생한 사람이 아닌 진짜 저의 증조부 그리고 조부와 포옹할 수 있었습니다. 우리는 정말 실감나게 포옹했고, 그 한순간에 저는 모두를 만났습니다. 그리고 제가 예전에 알고 지냈던 모든 사람들, 산 사람과 죽은 사람을 모두 만날 수 있었는데 그 모든 것이 한순간에 이루어졌습니다.

특히 제 딸을 끌어안았을 때, 그 아이만은 그 촉감을 실제적으로 느끼며 놀란 듯 보였습니다. 당시 아홉 살이었던 제 딸은 엄마인 제가 끌어안자 너무나 실제적으로 그 감정을 느끼고 있었습니다. 즉 제가 혼수상태에서 꼼짝도 못하고 병실에 누워 있으므로 우리 가족 모두가 저를 걱정하고 있던 바로 그 시간에 제 딸은 엄마인 저의 촉감을 느꼈던 것입니다.

사실 현재 우리가 살아가는 세상과 다른 세상에서는 지금 우리가 느끼는 그런 촉감을 느끼지 못합니다. 현실을 벗어난 초자연적 세계에서 시간은 멈춰 있고 지금 우리 눈에 보이는 육신이나 물질은 사라진 채 그냥 경이로울 뿐입니다.

그곳에서 사람들은 이전의 모습이 아니었습니다. 예전에 저는 사람들을 보면서 뚱뚱한지 날씬한지, 미인인지 그렇지 않은지, 피부가 검은지, 잘 차려 입었는지 그렇지 않은지 하는 것만 보았습니다. 저는 사람들을 그런 기준에 따라 구분했고, 그러다 보니 편견과 냉소적인 비판만이 제 안에 가득했습니다. 다른 사람에 관해 얘기할 때마다 비난 일색이었습니다.

그런데 그 세계에서는 모든 것이 달랐습니다. 지금 우리가 보는, 피와 살로 된 몸이 아니었습니다. 그때 저는 사람의 내면을 볼 수 있었습니다. 그와 제가 포옹할 때 그의 생각, 감정을 본다는 것이 얼마나 아름다웠는지 모릅니다. 저는 모든 이를 제 품안에 받아들이면서, 동시에 계속해서 위로 올라갔습니다.

그런 방식으로 저는 계속해서 올라갔고, 제 안은 평온함과 행복감으로 가득 차 있었습니다. 위로 올라가면 올라갈수록 경이로운 광경을 볼 수 있었으며, 그리고 그런 저를 점점 더 의식하게 되었습니다. 저는 그 길의 끝에서 멋진 나무들로 둘러싸인 호수를 보았는데 정말 아름답고 환상적이었습니다. 편안함을 주는 향기가 나는 갖가지 색상의 나무들이었습니다. 제가 지금 아름답다는 표현을 계속 반복하고 있는데 이는 전혀 과장이 아닙니다. 너무도 경이로웠고 아름다웠습니다. 또한 온통 사랑으로 둘러싸인 것 같았습니다. 사람의 말로는 도저히 묘사할 수가 없을 정도였습니다.

무엇인가를 둘러싸고 있는 듯한 나무 두 그루가 있었습니다. 입구처럼 보였습니다. 우리가 보는 나무와는 완전히 달랐습니다. 색깔도 우리가 아는 그것과는 완전히 달랐으며 그곳의 모든 것이 말로는 표현할 수 없을 만큼 아름다웠습니다.

그 순간 저는 저와 함께 사고를 당했던 조카가 그 경이로운 정원으로 들어가고 있는 것을 보았습니다. 저는 그곳에 들어가면 안 되었습니다. 제게 누가 말한 것은 아니었지만 아직 그래선 안 된다는 느낌이 들었습니다. 그곳에 무척 들어가고 싶었지만 제게는 허락되지 않았습니다.

다시 지상으로 돌아옴

그 순간 저는 남편의 목소리를 들었습니다. 그는 찢어지는 가슴으로 소리치며 울었고, 영혼 깊은 곳에서 나오는 소리로 아내인 저를 불렀습니다. "글로리아! 글로리아! 제발 나를 혼자 내버려두지 마. 우리 아이들에겐 당신이 필요해. 글로리아! 나를 혼자 내버려두지 마."

그 순간 저는 모든 것을 보았습니다. 정말 그 짧은 한순간에 모든 것을 한눈에 다 보았습니다. 고통스럽게 울부짖는 남편의 모습도 볼 수 있었습니다. 그도 역시 다쳤기 때문에 피범벅이 되어 있었습니다. 그는 벼락에 맞지는 않았지만, 번개에서 방사된 높은 에너지에 의해 공중으로 튕겨졌다가 바닥으로 이리저리 내동댕이쳐졌습니다. 마치 고무공처럼 몸이 위아래로 튀었던 것입니다. 그러면서 남편도 결코 가볍지 않은 부상을 입었고, 상처에서는 피가 흐르고 있었습니다.

그리고 그 순간 주님께서는 저를 다시 세상으로 보내 주셨습니다. 하지만 저는 돌아가고 싶지 않았습니다. 저를 둘러싸고 있던 그 평온, 그 기쁨, 그 충만함에서 벗어나고 싶지 않았습니다. 그럼에도 다시 돌아가야만 했을 때 얼마나 슬펐는지 상상할 수 없을 것입니다. 제 의지와는 상관없이 서서히 현실로 돌아오면서 저는 거의 죽은 상태로 침대에 누워 있는 제 몸이 있는 방향으로 움직이기 시작했습니다.

스스로 목숨을 끊은 사람들을 제외한 우리 모두는 하느님 아버지의 포옹을 경험하게 됩니다. 그리하여 그들도 역시 그 신비한 빛을 경험하고, 모든 것을 충만하게 하는 그 엄청난 사랑을 경험하게 됩니다. 그리고 하느님 아버지께서는 우리 모두를 껴안아 주십니다. 왜냐하면 그분은 완전무결한 방식으로 우리 모두를 사랑하시기 때문입니다.

그리고 그분은 당신의 사랑이 얼마나 큰지 보여 주십니다. 하지만 하느님은 아무에게도 강요하시지 않기에, 우리는 이 지상에서 하느님을 배제한 채 자신의 자유의지로 모든 것을 결정합니다. 자신의 삶을 위해 하느님을 받아들이는 것은 바로 자유의지에 달려 있습니다. 하느님을 아버지로 받아들이고 하느님과 하느님의 계명 혹은 사랑에 따라 살아갈 것인가 그러지 않을 것인가, 아니면 단지 미움과 멸시만을 심고 이 세상에 퍼트리는 "거짓의 아비"이며 죄와 멸망의 근원인 사탄을 받아들일 것인가 하는 것은 자신에게 달려 있습니다.

하느님 아버지와 이런 포옹을 한 다음에는, 예수님은 각 영혼을 하느님 아버지께 주십니다. 그리고는 우리 각자가 자기 삶에 하느님을 "아빠, 아버지"로 받아들일지 그러지 않을지는 각자의 자유의지에 맡겨 두십니다. 우리가 이 세상에서 하느님 아버지 없이 살기로 결정할 경우 그분은 우리의 결정을 존중하시고 당신의 뜻을 우리에게 강요하지 않으시기 때문입니다.

저는 사고가 난 그날 보고타 대학교 의예과 건물에서 생명활동이 멈춘 채 들것에 누워 있는 제 몸을 보았습니다. 저를 둘러싼 의사들이 작동이 완전히 멈춘 제 심장에 전기 충격기로 충격을 가해 다시 뛰게 하려고 노력하는 모습도 보았습니다.

그러기 전에 조카와 저는 두 시간 이상이나 땅바닥에 누워 있었습니다. 벼락으로 감전된 우리 몸에서 나오는 전류 때문에 손을 댈 수가 없었기 때문입니다. 그리고 조카가 숨을 거두자 그나마 살아 있는 저를 소생시키려고 노력하기 시작한 것입니다.

지금 여기 서 있는 저를 보십시오. 그때 제 영혼은 제 몸으로 들어와서 영혼의 발로 제 몸에 달린 머리의 정수리 부분을 건드렸습니다. 그 순간 제 몸 위로 아주 강한 불꽃이 튀었습니다. 그러면서 제 영혼은 다시 제 몸 안으로 끌려 들어갔습니다. 마치 몸이 저를 안쪽으로 빨아들이는 것 같았습니다. 몸 안으로 그렇게 들어가는 것은 매우 고통스러웠습니다. 몸 위로 사방에서 불꽃이 일어났기 때문입니다. 마치 매우 작고 좁은 어떤 물체 속으로 제가 압축되어 들어가는 것 같았습니다.

하지만 그 작고 좁은 것은 제 몸이었습니다. 매우 정상적인 키를 가진 제가 철사로 만들어진 것 같은 매우 좁은 유아복을 강제로 입으려고 하는 것 같았습니다. 정말 엄청난 고통이었습니다. 그리고 바로 그 시점부터 전신 화상을 입은 제 몸의 고통도 느끼기 시작했습니다. 완전히 화상을 당한 몸은 너무나 아팠고, 그 고통은 어떻게 표현할 수가 없을 정도였습니다. 몸 구석구석이 무서우리만치 타버렸고, 그 모든 부위에서 연기와 증기가 뿜어져 나왔습니다.

저는 의사들이 외치는 소리를 들었습니다. "환자가 정신을 차렸어요! 정신을 차렸네요!" 그들은 기뻐 어쩔 줄 몰라 했지만, 제가 느끼는 고통은 너무 컸습니다. 다리는 완전히 새까맣게 되어 마치 숯덩이 같았습니다. 온몸은 살을 덮고 있던 피부가 타버리면서 생살이 완전히 드러나 있었습니다.

숯이 된 몸뚱아리

그럼에도 가장 크고 가장 참을 수 없었던 고통은 허무감이었습니다. 그것은 또 다른 차원의 고통이었습니다. 저는 지극히 세속적인 여자였고, 해방감을 만끽하던 여자였으며, 독립심이 강하고 자의식이 뚜렷한 능력 있는 전문직 여성이었습니다. 그러므로 전문가, 학자, 지성인, 공부를 많이 한 사람, 경제력 있는 여자, 사회에서 어떤 역할을 했던 여자로서 느끼는 무상함 또는 허무감이었습니다.

그러나 동시에 저는 제 몸의 노예였고, 아름다움과 패션의 노예였습니다. 저는 매일 4시간을 에어로빅과 마사지와 다이어트와 주사요법 등 그 방면에서 할 수 있는 모든 것을 하면서 시간을 보냈습니다. 저의 우상은 아름다운 제 몸이었습니다. 그래서 그것을 위해 저는 많은 것을 바치고 희생해 왔었습니다. 그것이 저의 삶이었습니다. 오로지 제 몸의 외적 아름다움을 가꾸고 숭배하는 것만이 삶의 전부였습니다. 저의 모든 관심이 몸에 집중되어 있었습니다!

제가 존재하는 것은 저의 아름다운 가슴을 사람들에게 보여주기 위해 있는 것이라는 말을 저는 자주 했습니다. '내가 왜 이걸 감춰야 하지?' 하는 생각을 당연하게 여겼습니다. 제 다리도 마찬가지였습니다. 저의 두 다리는 남들의 시선을 끌었기 때문입니다. 전체적으로 볼 때 저는 아주 흠잡을 데 없이 훌륭한 몸매를 지녔던 것입니다.

제가 그때까지 살아오는 동안 인생 대부분을 언제나 몸을 관리하는 데 다 보냈다는 사실을 그 한순간에 깨닫고는 무척 놀랐습니다. 그것만이 제 인생의 중심이었고, 주된 관심거리였습니다. 오로지 제 몸에 대한 사랑밖에 없었습니다.

그런데 이제 그 아름답던 몸이 거의 없어져 버렸습니다. 가슴이 있던 곳에는 눈에 띄는 구멍이 자리 잡았고, 특히 왼쪽 가슴 부위는 모조리 사라져 버렸습니다. 그 아름답던 다리도 보기에도 끔찍하게 되어 하얀 뼈만 남아 있었습니다. 숯처럼, 타버린 돼지 바비큐처럼 완전히 새까만 다리! 그렇습니다. 제가 그토록 정성들여 잘 보살피고 가꾸었던 몸의 모든 부분이 숯처럼 새까맣게 망가졌던 것입니다.

부끄런 고백

사람들은 저를 사회보장 병원으로 옮긴 다음 수술실로 들여보냈습니다. 거기서 그들은 신속하게 수술에 착수하여 타버린 피부조직을 떼어내기 시작했습니다.

마취를 하는 동안 저는 두 번째로 심장 정지 상태가 되었습니다. 제 심장 박동이 멈추는 것을 의식한 순간 저의 의식은 다시 두 번째로 제 몸을 벗어나서 의사들이 제게 무슨 치료를 하고 있는지 지켜보았습니다. 의사들이 제 몸을 둘러싸고 어떻게 치료하는지 관찰했습니다. 저를 소생시키기 위해 그들이 열정적으로 모든 방법을 다 동원하는 모습을 지켜보았던 것입니다. 저 역시 몸이 매우 염려스러웠습니다.

무엇보다도 다리가 가장 염려되었습니다. 그 순간에도 여전히 제가 제 몸과 다리의 주인인 것처럼 자만심을 가지고 있었으며, 스포츠와 훈련을 통해 잘 단련시켜서 모든 사람들로부터 감탄의 대상이 된 것이 제 능력이었다고 생각했던 것입니다. 그런데 그 순간 갑자기 경악할 만큼 끔찍하고도 지독한 일이 벌어졌습니다.

이야기를 계속하기 전에, 이 글을 읽는 형제자매 여러분의 이해를 돕기 위해 고백해야만 하는 사실이 있습니다. 제 몸을 위해 그랬던 것처럼 저는 종교적으로도 "다이어트" 중이었습니다. 저는 하느님과의 관계에서도 "다이어트 중인 가톨릭 신자"였던 것입니다. 이 중요한 사실을 여러분이 아셔야 하는데, 저는 죄질이 참 나쁜 가톨릭 신자였습니다.

제가 하느님과 관련을 맺고 있는 것이라곤 겨우 25분 걸리는 주일 미사에 참석하는 것뿐이었습니다. 저는 항상 강론이 가장 짧은 미사를 찾아다녔습니다. 제게 있어 강론은 따분하기 그지없는 것이었기 때문입니다. 사제들이 강론을 길게 할 때면 얼마나 고통스러웠는지 모릅니다.

이것이 하느님과 저 사이를 잇는 유일한 끈이었습니다! 지독하게도 무미건조하고 메마르고 결핍된 관계였습니다! 대신 세속적인 모든 유행과 최신 패션이 저를 강력하게 지배했던 것은 당연한 일입니다. 저는 정말이지 유행의 선두주자였습니다. 저는 저 자신을 가장 합리적이고, 가장 개방되어 있으며, 가장 현대적이고, 가장 자유로운 사고방식의 소유자로 여겼습니다.

제게는 기도의 보호가 필요 없었으며, 신앙은 거추장스러운 것이었습니다. 그러니 하느님 자비의 힘에 대한 믿음 또는 미사성찬의 힘에 대한 믿음이 도무지 없었습니다. 그리고 의학을 계속 공부하여 전문의가 되었을 때는 그 자만이나 변덕스러움이 절정에 달했습니다.

대학 시절의 어느 날 가톨릭 신부님이 "악마가 없다면 지옥도 없다."라고 말하는 것을 들었습니다. 그것은 바로 제가 듣고 싶어 하던 말이었습니다! 저는 그 즉시 속으로 생각했습니다. '악마와 지옥이 없다면, 우리 모두 천국으로 가겠네. 이제 걱정할 필요가 없네. 그럼 이제부턴 내가 하고 싶은 대로 그냥 할 수 있겠네.' 신부님의 말뜻은 악마는 분명 존재하고 지옥도 있다는 것이었지만 저는 제가 원하던 대로 받아들였던 것입니다.

지금 제가 매우 후회하고 매우 부끄러움을 느끼며 여러분에게 고백할 게 있습니다. 그 당시 저를 그나마 교회에 붙잡아 두었던 유일한 끈이 바로 지옥에 대한 믿음이었다는 것입니다. 그래도 저를 여전히 교회 공동체와 연결시켜 놓았던 것은 악마에 대한 존재론적 두려움이었습니다. 그래서 악마와 지옥은 존재하지 않는다고 사람들이 말하는 것을 듣는 순간 저는 혼잣말로 중얼거렸습니다. "내가 왜 이 구닥다리 교회의 규칙을 따라 사느라 아득바득 애를 써야만 하지? 그래 좋아! 사람은 모두 천국에 가니 무엇을 하며 어떻게 살든, 지금 어떤 사람이든 전혀 상관없어."

그것이 바로 제가 주님에게서 완전히 떨어져 나오게 된 결정적인 이유였습니다. 그로부터 저는 교회에서 완전히 멀어졌고, 교회와 교인은 모두 멍청하다는 등의 비난을 하기 시작했습니다. 아주 많이!

저는 죄를 짓는 것을 전혀 두려워하지 않았으며, 죄의식도 느끼지 못했습니다. 그러면서 하느님과의 관계를 깨뜨리기 시작했습니다. 하지만 제가 짓는 죄는 제 안에만 머물러 있지 않았습니다. 죄는 제 안에서 자리 잡고 점점 세력을 키워 가기 시작하여 주변으로 퍼져 나갔습니다. 그리고 다른 사람들을 감염시켜 나갔습니다.

저는 부정적 의미에서 활동적인 사람이 되었습니다. 그렇습니다. 저는 그때부터 다른 사람들에게, 악마는 존재하지 않으며 단지 성직자들이 꾸며낸 것에 지나지 않는다고 말하고 다녔습니다. 그리고 언제부턴가는 대학에 있는 제 동료들에게, 하느님도 존재하지 않으며 우리는 하느님의 창조물이 아니라 자연발생적인 진화의 산물일 뿐이라는 얘기를 하기 시작했습니다.

저는 많은 사람들에게 영향을 미치는 데 성공했습니다. 이 사실을 미리 얘기하는 것은 여러분이 다음 이야기들을 더 잘 이해할 수 있도록 하기 위해서입니다.

악마는 정말 존재합니다!

아, 그런데 무슨 일이 일어났을까요? 제가 그 참혹한 상황에 처해 있을 때였는데, 얼마나 놀라고 무서웠든지…. 그때 저는 정말로 악마들이 있다는 것을 제 눈으로 똑똑히 보았습니다. 악마들이 저를 데리러 왔기 때문입니다.

저는 소스라치게 놀라며 눈앞에 있는 악마를 쳐다보았습니다. 그때 얼마나 무서웠는지 모릅니다. 여태까지 제가 이 지상에서 본 그 어떤 것도 그것만큼 소스라치게 무서운 것은 없을 것입니다. 그리고 아무리 한다고 해도 그것들에 대해 손톱만큼

도 표현하지 못할 것입니다.

갑자기 수술실 벽을 통해 수많은 어두운 형상들이 밀려들어오는 것을 보았습니다. 그것들은 여느 사람들처럼 보였지만, 모두 끔찍하고 무서운 눈매를 갖고 있었습니다. 그것들 눈에서는 증오가 뿜어져 나왔습니다. 제가 그들에게 빚을 졌다는 것을 저는 순식간에 알아챘습니다. 죄에 대한 그들의 제안을 제가 받아들였기 때문에 계산하러 온 것이었습니다. 이제 저는 그 값을 치러야만 했고, 그 값은 바로 저 자신이었습니다. 저는 제 영혼을 악마에게 팔아버렸던 것입니다. 저는 그와 거래를 했던 것입니다.

제 죄가 바로 그 결과물이었습니다. 죄는 사탄의 것이며, 사탄은 그것을 공짜로 준 것이 아니기에 값을 치러야만 했습니다. 값은 바로 저 자신이었습니다. 말하자면 우리가 사탄의 가게에서 물건을 산다면, 돈을 내야만 하는 것과 같은 이치입니다. 이 사실을 우리는 반드시 알고 있어야만 합니다.

그리고 저는 마지막으로 고해성사를 받은 이후에 제가 저지른 모든 죄를 그 짧은 한순간에 볼 수 있었습니다. 오래 전 사제에게서 마지막으로 고해성사를 받고 죄의 사함을 받은 이후 제가 지은 모든 죄였습니다.

우리는 죗값을 모두 치러야만 합니다. 평화를 잃은 채 양심의 가책을 느끼고, 내적인 평온을 상실하고, 건강을 잃으면서 그 값을 치루는 것입니다.

만일 우리가 사탄이 주인인 슈퍼마켓의 알뜰 단골 고객이고,

늘 그의 가게에서 물건을 산다면, 마지막에는 우리 자신으로 물건 값을 계산하게 됩니다. 그리하여 우리는 사탄의 노예가 되는 것입니다. 우리가 그에게 우리 영혼을 팔았기 때문입니다. 그리고 사탄이 퍼뜨리는 가장 큰 계략이며, 가장 핵심적인 거짓말이며, 가장 큰 술수는 바로 사탄은 절대로 존재하지 않는다는 것입니다.

이런 무섭고 어두운 형상들이 저를 에워쌌고, 저를 데리고 가기 위한 목적으로 그들이 왔다는 것이 명백했습니다.

아마도 여러분은 그 공포가 어떤 정도인지, 얼마나 끔찍한 두려움인지 상상이 되지 않을 것입니다. 저의 지성, 높은 수준의 지적 능력, 학문의 능력, 학술적인 타이틀, 제가 이루었던 직업적 능력 등과 같은 것들은 그 상황에서 아무런 도움이 되지 않았습니다. 끔찍하고 엄청난 악의 세력 앞에서 이 모든 것은 아무런 소용이 없었습니다.

우리가 지은 죄는 우리를 깊고 어두운 곳, 저 아래 "거짓의 아비"(요한 8, 44)에게로 끌어 들입니다. 하지만 값을 치러야만 하는 후회스런 잘못과 죄를 고해성사를 통해 예수님께 가지고 가면 그분의 십자가 보속으로 모든 죗값을 치르게 됩니다.

예수님은 십자가에서 우리의 죄를 대신하여 피를 흘리심으로써 그 값을 치르셨습니다. 그리고 그분은 우리가 죄를 지을 때마다 그 값을 치르십니다. 우리가 사탄과 손을 잡아 사탄(죄)의 소유물이 됨으로써 치러야만 하는 지옥의 고통을 그분이 대신해서 받으셨습니다.

우리는 예수 그리스도에 의해 자유의 몸이 되었습니다. 그로 써 우리는 그분의 왕국, 그분의 삶에 대한 권리를 부여받았습니 다. 왜냐하면 그분께서 우리를 "하느님의 자녀"로 만드셨기 때 문입니다.

그때 그 어둠의 무리들이 자기들의 소유물인 저에게 계산을 받 으러 왔습니다. 저는 그들이 벽에서 튀어나와 수술실로 마구 들어 오는 것을 보았습니다. 그들은 수술실 안을 가득 채웠습니다.

그 악마들은 외관상으로는 그럴듯했지만, 그들의 시선은 지 독하리만치 사악한 증오로 가득 차 있었습니다. 그들의 내부는 불타 버려서 영혼이 없었습니다. 눈앞에 있는 그들을 보면서 온 몸에 소름이 돋고 털이 곤두서며 덜덜 떨렸습니다.

그들은 저에게서 빚을 받으러 왔었습니다. 왜냐하면 죄는 공 짜가 아니며 대가를 치러야 하기 때문입니다. 악마는 존재하지 않는다고 사람들이 믿도록 하는 것이 바로 악마의 가장 큰 계략 이며 거짓말입니다. 그것이 사탄의 전략이며, 그리하여 자기들 이 원하는 대로 우리에게 모든 일을 벌일 수 있게 됩니다. 거짓 말쟁이 사탄!

저는 놀라서 쳐다보았습니다. 맙소사, 정말 있구나! 악마들 은 벌써 저를 에워싸기 시작했습니다. 저를 데려 가려고 했습니 다. 그 순간 제가 느낀 공포를 상상이라도 할 수 있겠습니까? 그 두려움과 끔찍함과 공포 그 자체!

저의 모든 지식, 영리함, 사회적 지위는 그 순간 아무런 소용 이 없었습니다. 제 영혼은 그들의 손아귀에서 벗어나기 위해 무진장 애를 썼으며, 제 몸 속으로 도망치기 위해 제 영혼을 몸을 향해 던지기 시작했습니다. 하지만 제 몸이 저를 더 이상 받아들이지 않았습니다. 그래서 정말이지 끔찍할 만큼 무서웠습니다.

도망치려고 달리기 시작했습니다. 어떻게 그리 됐는지는 모르지만, 저는 수술실 벽을 통과할 수 있었습니다. 그곳에서 벗어날 생각밖에 없었지만, 제가 벽을 통과하는 순간 제 영혼은 전혀 다른 세계로, 즉 무無의 세계로 도약하게 되었습니다. 저는 갑자기 거기 생긴 터널 내부로 들어갔고, 그 터널은 밑으로 뻗어 있었습니다.

터널 내부에 들어섰을 때 아주 약한 빛이 있었는데, 마치 벌집과 같은 빛이었습니다. 벌집의 벌처럼 아주 많은 사람들이 웅성거리며 떼를 지어 몰려 다녔습니다. 남녀노소를 불문하고 그들은 모두 큰 소리를 지르면서 더럽고 사나운 털을 곤두세우고 이빨을 으르렁거리고 있었습니다.

저는 계속해서 땅 속 아래로 깊숙이 빨려들어 갔습니다. 그곳에서 벗어나려고 아무리 몸부림쳐도 소용이 없었습니다. 점점 빛은 더 약해지고 희미해졌습니다. 그리고는 터널 안 극도로 깊고 어두운 곳까지 끌려들어 갔습니다. 저는 완전히 무방비 상태로 그 암흑 속으로 빨려들어 갔습니다. 그 암흑은 지상의 어떤 것과도 비교할 수 없고, 어떤 말로도 표현할 수 없을 정도로 짙고 불쾌했습니다.

위쪽은 밝았지만 아래쪽으로 갈수록 점점 더 어두워졌습니다. 그러다가 빛 속에 있는 저의 어머니를 만났을 때 그 기쁨은 이루 말할 수 없을 정도로 컸습니다. 어머니는 벌써 오래 전에 돌아가셨지만 그 모습은 정말 환했습니다. 그 순간 저는 깨달았습니다. 어머니가 입고 있는 태양처럼 밝게 빛나는 그 하얀 옷들이 모두 어머니가 이 세상에 살면서 참석했던 미사의 성찬식이었다는 것을!

하지만 제가 어머니께 다가가서 그 곁에 머무는 것은 불가능했습니다.

저는 완전히 무방비 상태로, 그 무엇과도 비교할 수 없을 정도로 캄캄한 그 암흑 속에 파묻혀 있었습니다. 그 암흑에 비하면 이 지상에서 아무리 짙은 암흑이라고 해도 그것은 환한 대낮과 같을 정도였습니다. 그곳의 암흑은 끔찍한 고통, 공포, 수치감을 자아냈고, 지독한 냄새를 풍겼습니다. 계속해서 점점 더 많은 끔찍한 인물들과 형상들을 볼 수 있었는데, 도저히 지상의 우리가 상상할 수 없는 그런 형상이었습니다.

죄와 사탄

주님 안의 형제자매인 여러분에게 분명히 말하지만, 죄는 우리 영혼에 흔적을 남겨 놓습니다. 그 흔적은 마치 흉터나 물집처럼, 형태 없는 구멍처럼 우리 영혼에 낙인을 찍습니다.

그때 가장 끔찍했던 것은 그 참을 수 없는 악취가 바로 제게서 풍겨 나온다는 사실이었습니다. 그동안 살면서 저는 향수와 공기 청정기에 무수한 돈을 썼는데 악취만큼 극도로 싫어한 것이 없었기 때문이었습니다. 그런데 제가 지은 모든 혐오스런 죄가 제 영혼 바깥 어느 곳에 있는 것이 아니라 바로 제 안에, 저의 가장 깊숙한 곳에, 제 영혼 안에 있다는 것을 그때 비로소 알았습니다. 바로 그곳에서 그 참을 수 없는 악취가 퍼져 나왔던 것입니다.

저는 악마와 유사하게 생긴 한 끔찍한 짐승을 보았는데, 제가 그동안 저지른 모든 흉악스런 행위로 꼴사납게 된 바로 제 모습이었습니다. 제 어머니는 주님의 빛으로 된 의복을 입고 있는데 반해 저는 그 검은 짐승, 곧 시꺼먼 쓰레기 자루 같은 옷을 입고 끔찍한 짐승의 형상을 하고 있었습니다.

그리고 그 상태로 저는 발아래에 있는 늪지 같은 곳에 도달했는데, 많은 사람들이 그 늪의 수렁에서 목까지 잠긴 채로 신음하고 있었습니다. 그 수렁은 우리들이 이 지상에서 책임져야만 하는 모든 죄스런 성관계와 변태 성욕 중 사정射精된 정액으로 이루어진 것이었습니다.

혼인성사로 맺어진 남녀관계만이 하느님의 축복을 받습니다. 왜냐하면 하느님께서 생명을 위한 이 결합의 관계 때 현존하시기 때문입니다. 그분은 혼인성사로 맺어진 성관계 안에서 성화되고 높임을 받는 사랑이시기 때문입니다.

혼인성사의 바탕이 없는 성性은 순전히 쾌락이나 만족이나

이기주의의 도구일 따름입니다. 바로 그런 이유로 사람들은 이 세상에서 자신의 고삐 없는 열정으로 만들었던 그 수렁에서 고통을 받고 있는 것입니다. 그처럼 정상적인 관계가 아닌 죄스런 혼외정사에 관여한 사람들은 누구나 거기, 상상할 수 없을 정도로 냄새가 진동하는 수렁에 빠져서 말로 형언할 수 없는 고통을 겪게 됩니다. 그 속에서 그들은 자신의 잘못에 대해 극도의 수치심을 맛보고 있는 것입니다.

그리고 갑자기 저는 제 아버지도 그 수렁에 있는 것을 발견했습니다. 아버지가 끔찍한 냄새가 진동하는 오물 구덩이에 목까지 빠져 있는 것을 보는 순간 저는 너무나 고통스러워 큰 소리로 외쳤습니다. "아버지, 여기서 뭐하는 거예요?"

그러자 아버지는 우는 소리로 말했습니다. "내 딸아, 아, 내 딸아! 간통과 정결하지 못한 행동 때문이란다."

여러분 모두 언젠가는 이것을 직접 체험하게 될 것이며, 그때 아마도 지금 제가 말하는 것을 상기하게 될 것입니다.

여러분에게 제가 분명히 말할 수 있는 것은, 그곳에서 가장 고통스러운 것은 우리 모두를 진정으로 사랑하시며 우리 일생 동안 우리 뒤에 계시고 늘 우리를 다시 찾으시는 하느님을 뵙는 것입니다. 그 사랑의 하느님이 우리가 지은 죄로 인해 얼마나 고통을 겪으시는지 아는 것입니다.

저를 위해 얼마나 많은 사람들이 기도했는지, 저를 올바른 길로 이끌기 위해 얼마나 많은 신부님과 수녀님이 노력했는지 그곳에서 볼 수 있었습니다. 그런데도 그동안 저는 그 모든 사람을 얼마나 멸시했었는지 모릅니다. 저와는 전혀 다른, 성스럽기까지 한 그들을 저는 매우 저속하게 표현했었습니다. 수녀님들을 지칭할 때는 "천상의 암탉들", "만족할 줄 모르는 늙은 갈보", "주 하느님의 발가락을 빨며 이 땅의 사람들의 문제에 대해서는 문외한인 영원한 갱년기의 위선자" 등과 같은 표현을 썼는데 이것들은 그나마 좀 나은 것입니다.

그곳 저편에서는 각자의 "생명의 책"에 기록된 대로 자신의 생애를 세밀한 부분까지 볼 수 있다는 것을 명심하십시오. 입 밖에 낸 말들뿐만 아니라 우리가 했던 생각들까지 모조리 드러납니다. 모든 것이 명명백백하게 드러나고 한 사람의 일생 동안 있었던 모든 것이 적나라하게 드러납니다. 사람들은 종종 말한 것과 생각한 것 사이의 큰 차이 때문에 진저리를 칩니다.

그리고 우리가 범한 죄들은 우리 자신에게 뿐 아니라 우리 주변에도 그 영향을 미칩니다. 그것은 마치 썩은 열매처럼 가까이에 있는 싱싱한 열매까지 영향을 미쳐서 썩게 만듭니다. 그리하여 죄는 그 장본인을 넘어 그 주변 전부까지 해를 미치고 모든 것을 상하게 만드는데 이것을 다른 저 세상에서 목격하게 되는 것은 큰 고통이 아닐 수 없습니다.

따라서 제가 범한 죄, 그 죄의 영향을 받는 이는 누구겠습니까? 누가 저와 가장 가까이에 있겠습니까? 바로 제 아이들입니다. 제 죄로 인해 가장 먼저 저의 아이들과 가족들이 해를 입습니다.

제 말에 귀를 기울여 주십시오. 여러분의 귀를 막지 마십시오. 사람이 중죄를 범하면, 악마가 마치 채권자인양 그 즉시 그 사람의 손을 붙잡고 악마의 소유가 되도록 서명하라고 강요합니다. 이때 가장 비극적인 일은 사탄이 그 죄인에게 주는 첫 임무가 이것이라는 점입니다. "자, 이제 가서 네 주변에 있는 사람들, 너와 관계를 유지하고 있는 사람들을 모두 내게 데리고 오너라!"

누군가를 증오하거나 자신의 이웃에 대해 계속해서 나쁜 소문을 퍼뜨리는 엄마, 폭력적인데다 알코올 중독이어서 늘 술에 취해 집에 돌아오거나 낯선 이의 재물을 착복하는 것 외에 다른 일을 하지 않는 아빠! 이들은 거의 자신의 직접적인 영향권에 자기 아이들을 둔 셈입니다. 그리고 부모가 이런 나쁜 행동방식으로 아이들에게 잘못되고 나쁜 모습만을 보여 준다면, 이는 아이들의 미래를 보살피는 부모로서의 사명을 오용하는 것이 됩니다.

교회의 성사에 참여하는 생활만으로 여러 세대에 걸쳐 계속된 "악마의 세력권"의 사슬을 깨뜨려 버릴 수 있습니다. 성사의 은총과 기도의 힘만이 죄를 밀어 내고 끊어 버릴 수 있습니다.

그것은 암흑 그 자체였습니다. 그곳에서는 모든 것이 죽었거나 거의 죽음의 상태였습니다. 제가 어쩔 수 없이 무방비 상태로 그 터널을 통해 미끄러져 들어간 후에 저는 어느 평평한 광장에 도달했습니다. 그곳에서 저는 완전히 절망에 사로잡혔지만 그곳을 벗어나야겠다는 굳은 의지를 가지려고 노력했습니다.

그것은 예전에 인생에서 뭔가를 달성하기 위해 지녔던 의지와도 같았습니다. 하지만 그곳에선 그런 강렬한 의지가 전혀 소용이 없었습니다. 왜냐하면 그때 저는 그곳에 잡혀 있었고 도무지 제 힘으로는 저를 해방시킬 수 없었기 때문입니다. 예전의 큰 포부와 꿈은 더 이상 남아 있지 않았습니다. 한순간에 저는 너무도 작고 빈약하고, 너무도 보잘것없는 사람이 되어 버렸습니다.

그 순간 저는 갑자기 땅이 열리는 것을 보았습니다. 마치 엄청나게 큰 입을 벌리는 듯했습니다. 땅은 살아 있었고, 땅이 움직였습니다!!!

그러자 갑자기 심한 공허감이 저를 엄습했고, 발아래에는 너무도 무섭고 끔찍한 나락이 펼쳐졌습니다. 그것을 사람의 말로 간단히 설명하는 것은 불가능합니다. 가장 고통스러웠던 것은 거기서는 더 이상 하느님의 현존과 사랑을 느낄 수 없다는 점입니다. 거기서는 더 이상 아무것도 없었으며, 한 줌의 희망도 찾을 수 없었습니다.

그 구렁은 뭔가 강력한 힘을 가지고 있어서 그것에 저항한다는 것은 불가능했고 저를 저 아래로 강력하게 빨아 들였습니다. 저는 미친 사람처럼 소리쳤습니다. 끝없는 추락을 도저히 막을 수 없었고, 냉혹하게 아래로 끌려들어 간다는 사실을 알고는 소스라치게 놀랐습니다.

그 아래로 추락하게 되면 다시는 헤어나지 못할 것이고, 끝없이 점점 더 깊숙한 곳으로 추락하게 될 것이라는 사실을 본능적으로 알아챘습니다. 그것은 제 영혼의 죽음, 제 영혼의 영적인 죽음이었습니다. 다시는 돌이킬 수 없이 영원히 잃어 버리게 될 것 같았습니다.

그런데 그런 엄청난 공포를 느끼는 중에도 저는 그 나락의 가장자리에서 미카엘 대천사가 제 발을 붙잡고 있는 것을 갑자기 깨달았습니다. 몸은 그 구렁으로 떨어졌지만, 발은 미카엘 대천사의 손에 꽉 붙잡혀 있었습니다.

그것을 알아채는 순간 저는 엄청난 고통을 느꼈고 소스라치도록 큰 공포에 사로잡혔습니다. 하지만 제가 그렇게 나락 언저리에 매달려 있을 때 어떤 미약한 빛이 악령들을 방해했는데 그 빛은 제 영혼에 그때까지 남아 있던 것이었습니다. 그러자 모든 괴물들이 제게로 달려들었습니다. 징그러운 애벌레나 흡혈귀와 같은 그 괴물들은 제 영혼 안의 빛을 완전히 꺼 버리려고 제게 달려들었습니다. 구역질나는 괴물들이 제 몸을 뒤덮었을 때 느낀 역겨움과 공포가 얼마나 심했을지 한번 상상해 보십시오.

저는 미친 듯이 소리치고 또 소리쳤습니다. 각 괴물들 위로 불이 타올랐습니다. 아, 그것은 살아 있는 암흑을 말하는 것입니다. 그들이 우리를 삼키고 착취하며 빨아먹고, 그들에게서 불이 타오르고 하는 것은 바로 증오에서 비롯됩니다. 그때의 공포를 제대로 묘사하는 것은 불가능합니다.

혼인성사의 중요성

여기서 혼인성사에 관해서 자세히 이야기하겠습니다. 혼인성사로 받는 큰 은총에 관해서 이야기하겠습니다. 한 남녀가 교회 안에서 혼인성사를 받으면서 좋을 때나 나쁠 때나 부부간의 신의를 지키겠다고 서약할 경우 그것은 하느님 아버지께 약속하는 것입니다. 우리가 맹세를 할 때 하느님은 그 맹세의 유일한 증인이십니다.

언젠가 죽게 되면 "생명의 책"에 혼인성사의 순간이 기록되어 있는 것을 보게 됩니다. 저는 한 부부가 그 순간 더할 수 없이 아름다운 황금빛 속에 둘러싸인 것을 보았습니다. 하느님 아버지께서는 부부가 하는 맹세의 말을 "생명의 책"에 금빛 철자로 기록하셨습니다. 그런 다음 부부가 주님의 몸과 피를 받아 모시게 되면 한쪽 배우자는 하느님과 그가 평생을 함께할 배우자로 선택한 그 사람과 결합하게 됩니다. 부부가 혼인성사에서 결합의 뜻을 알리는 순간 하는 말들은 그 배우자에게만 유효한 것이 아니라 삼위일체이신 하느님께도 마찬가지로 효력을 갖게 됩니다.

제 결혼식 날, 남편과 제가 성체를 받아 모셨을 때 우리는 둘이 아니라 셋이라는 것을 주님께서 제게 보여 주셨습니다. 우리 둘과 예수님, 그렇게 셋이었습니다. 혼인성사란 그런 것입니다.

우리 부부가 영성체를 하는 그 순간, 주님께서 우리와 하나가 되시기에 두 사람은 하나가 됩니다. 그분은 우리를 당신 마음 안에 담으셨고, 그분 마음 안에서 우리 두 사람은 하나가 됩니다. 예수님과 함께 우리는 삼위일체를 이룹니다. 따라서 하느님께서 맺으신 것을 사람이 떼어 놓아서는 안 됩니다. 그럼 누가 그것을 떼어 놓을 수 있을까요? 아무도 없습니다! 그 어느 누구도 그 결합을 떼어 놓을 수 없습니다. 하느님께서 부부를 축복하신 후에는 정말 아무도 그럴 수 없습니다. 그러므로 그 두 사람이 순결하게 혼인을 맺게 된다면 얼마나 큰 축복이 그 부부에게 내리겠습니까?

저의 부모님 결혼식도 보았습니다. 아버지가 어머니의 손가락에 반지를 끼워 주고 사제가 그들을 부부로 선언할 때, 주님께서는 아버지에게 양치기의 지팡이를 넘겨주셨습니다. 위가 구부러진 모양의 그 지팡이는 빛으로 만들어진 것처럼 보였는데, 그 빛은 주님께서 남편에게 주신 은총이었습니다.

그것은 주님께서 주시는 권위의 선물로서, 그것으로 남편은 자기 가족을 보살필 수 있게 됩니다. 그것은 이 결혼으로 그에게 선사된 자녀들입니다. 또한 혼인 서약을 지켜 나가고, 수많은 위험과 해악에서 아이들을 보호하기 위해 그 가정에 주어진 것입니다.

그리고 주님께서 제 어머니에게 불타는 구슬 같은 것을 주셨는데 어머니는 그것을 당신의 가슴 속에 넣었습니다. 그것은 성령의 사랑을 의미합니다. 그 순간 저는 어머니가 매우 순결한 여자라는 것을 알 수 있었습니다. 하느님께서는 크게 기뻐하셨습니다.

그 순간 얼마나 많은 불순한 영들이 아버지를 공격하려고 했는지 여러분은 상상도 할 수 없을 것입니다. 그것들은 애벌레 같고 흡혈귀 같아 보였습니다.

누구든지 혼외 정사를 하게 되면 그 더러운 영들이 즉시 그에게 들러붙는다는 사실을 알아야 합니다. 그것들은 그 사람의 온몸에 들러붙는데, 성기부터 시작해서 그의 피부는 물론이요 호르몬에까지 그 영역을 확대합니다. 또한 골수까지 파고들어가서 뇌하수체를 섭취하고, 점액선과 인간 장기의 모든 신경 부분을 차지하여 저속적인 본능을 일깨우는 대량의 호르몬을 양산하기 시작합니다.

그 악하고 더러운 영들은 하느님의 자녀를 쾌락과 본능과 성적 갈망의 노예로 전락시킵니다. 순전히 쾌락만을 추구하는 사람으로 만들어 버립니다. 그런데 우리는 쉽게 이렇게 말하곤 합니다. "한 번 정도는 없는 거나 마찬가지야. 한 번인데 어때?" 하지만 그 "단 한 번"이 그런 치명적인 결과를 가져온다는 사실을 명심해야 합니다.

만일 어떤 부부가 자신의 배우자에게 지켜야 할 정결을 지킨다면 하느님께서는 그들에게 특별한 축복을 내리십니다. 하느님께서는 그들을 거룩하게 결속시키시고 그들의 성性을 축복하십니다. 순결하지 않은 채 결혼한 부부도 이 축복을 받을 수 있습니다. 왜냐하면 성性 자체는 죄가 아니기 때문입니다. 하느님께서 결혼으로 맺어진 이들에게 축복으로 주신 것입니다. 하느님 앞에서 혼인이 맺어지는 곳에 하느님께서 현존해 계시며, 침실에서도 마찬가지입니다.

혼인성사로 맺어진 부부가 성적 사랑을 나눌 때 그들은 배우자에게 하느님으로부터 온 은총을 선사하지만, 축복받지 못한 결합에서는 서로를 죄로 더럽힐 뿐입니다. 혼인성사에 대한 믿음이 아니라 단지 관습에 따라 교회에서 결혼하는 경우 그 부부가 받을 축복은 없습니다.

하느님께서는 그들의 새로운 삶에 동행하게 될 때 기뻐하십니다. 하느님과 그 부부는 하나가 됩니다. 하지만 많은 부부들이 이 사실을 모르고 있으며 그것에 대해 무관심한데 참으로 유감스런 일입니다.

그리고 결혼 축하연이 진행되는 동안, 사람들은 끝없이 축하를 나누고 먹고 마시고 즐기면서 주님을 잊어버립니다. 제가 그 당시 그랬던 것처럼, 그들은 주님을 길 밖에다가 내버려 둡니다. 결혼한 후 저는 주님을 우리의 새로운 집에, 새로운 삶에 초대할 생각을 하지 못했습니다.

우리가 그분을 우리와 함께 계시도록 삶의 모든 상황에 초대하는 것을 그분은 무척 좋아하십니다. 그분은 우리가 당신의 현존을 느끼기를 원하십니다. 그분은 주님이시기에 그리고 혼인성사로 맺어진 부부이기에 현존해 계시지만, 우리가 그분을 의지적으로 우리 부부 사이에 초대하고 함께해 주시기를 청하면 더 좋아하십니다.

저 역시 결혼식 후 우리 집으로 오시도록 주님을 초대하지 않았습니다. 우리는 주님을 교회에 버려 둔 채 우리 둘만의 신혼여행을 멋지게 보냈고 그분에 대해선 전혀 마음을 쓰지 않았습니다. 우리는 집으로 돌아왔지만 그분은 저 바깥에서, 슬프게도 거리에 버려진 채로 계셨습니다. 그분을 조금도 의식하지 않았으며, 우리 안에 초대한 적도 없었습니다.

하지만 주님의 현존을 알아차리고, 제가 그때 했던 그런 실수를 반복하지 않는 부부는 얼마나 복된지요! 제 부모님도 결혼식 때 그들의 인생에서 가장 아름다운 시기였을 뿐만 아니라 아버지는 주님에게서 많은 은총을 받은 상태였습니다. 하느님께서는 순결한 처녀인 저의 어머니를 아버지의 배우자가 되게 하셨던 것입니다. 그럼에도 아버지는 그 은총을 방탕한 삶으로 다 잃어 버렸습니다.

처음에 하느님의 사랑은 제 아버지의 더럽혀진 성性과 그 속의 모든 호르몬의 무질서를 치유해 주셨습니다. 그러나 아버지는 매우 "남성적"이었으며, 정말 이른바 "마초" 같은 분이었습니다. 그리하여 친구들은 다시 그를 해롭게 하고 유혹하기 시작했습니다. 아내에게 잡혀 있어서는 안 된다고, 다시 예전의 생활로 돌아가야 한다고 아버지를 설득하기 시작했습니다.

아버지가 신뢰하던 아내, 즉 저의 어머니를 배신한 것은 결혼한 지 14일이 채 지나지 않아서였습니다. 아버지는 단지 친구들에게 당신이 아직 여자의 손에 잡혀 살 나이가 아니라는 것을 증명하기 위해 사창가로 뛰어들었습니다.

그리하여 아버지가 주님에게서 받았던 그 목자의 지팡이가 그 후 어떻게 되었겠습니까? 악마가 그에게서 그것을 빼앗아 버렸습니다. 그 사악하고 더러운 악령들이 다시 돌아와서 그에게 들러붙었던 것입니다. 아버지는 가족의 목자에서 늑대로 탈바꿈했습니다. 그때부터 그는 가족들을 보호하는 것이 아니라 악마에게 대문을 활짝 열어 젖혀서 그것들이 집 안 전체를 차지하게끔 했습니다.

그리고 이제 아버지는 저 깊은 구렁에서 회한의 눈물을 흘리며 제게 말했습니다. "훌륭한 아내로서 남편인 나의 회개를 위해 38년간이나 기도하고 헌신했던 네 엄마 덕택에 나는 지옥에 떨어지기 직전에 구원받을 수 있었단다."

어머니는 결혼 생활 38년 동안 이런 남편을 위해 정성을 다해 기도했었습니다. 아버지가 그런 삶을 살게 된 데는 당신의 아버지, 곧 저의 할아버지의 잘못이 큽니다. 할아버지는 당신의 아들인 저의 아버지가 열두 살이었을 때 남자로 만들어 주겠다며 아들을 사창가에 데려 갔었습니다.

어머니는 남편의 회개를 위해 주님께 그리고 모든 성인들께 늘 이렇게 기도했습니다. "주님, 주님께서는 당신의 종인 제가 제 남편이 회개하는 것을 보지 않고 죽게끔 하지 않을 것이라고 저는 굳게 믿고 있으며 또 그렇게 해 주시는 분으로 알고 있나이다. 제 남편만을 위해 기도하는 것이 아니며, 저와 같은 불행한 처지에 있는 세상의 모든 불쌍한 여인들을 위해서도 간곡히 청하나이다. 또 특별히 주님께 청하오니, 점쟁이, 역술가, 손금을 읽는 이, 마법과 악마의 다른 술수에 빠져 있는 여인들을 보살펴 주소서. 모든 성인들이여, 성인들 곁에서 기도하지 않고 이런 방식으로 자신의 영혼과 자녀들의 영혼을 악마에게 파는 이들을 위해서도 기도합니다. 그들 모두를 도와주셔서, 악의 굴레에서 그들을 해방시켜 주소서."

어머니는 이렇게 기도하셨습니다. 그런데 제가 아버지를 늘 사랑하고 따르며 존경한 이유를 눈치 챘는지요? 그것은 다름 아닌 저의 어머니가 매우 훌륭한 아내이자 어머니였기 때문입니다. 어머니는 우리에게 단 한 번도, 조금이라도 누군가를 미워하도록 한 적이 없는 분이었습니다. 아무리 그럴 만한 이유가 있더라도 우리가 아버지를 미워하도록 한 적이 단 한 번도 없었습니다.

어머니는 이따금 황당한 소리를 제게 하시곤 했는데, 사람이 중죄를 범한 후에는 땅이 열려서 그 영혼을 삼켜 버린다는 환시를 보았다는 말씀도 하셨습니다.

저는 어머니의 그런 이야기들을 자주 웃어 넘겼고, 어리석기 짝이 없는 헛소리라고 대꾸했었습니다. 어머니에게 종종 이런 말도 했습니다. "엄마, 아세요? 하느님께서 내게 막 땅이 열리면서 아빠를 삼키는 것을 보여 주셨어요." 저는 중죄에 관한 어머니의 이야기를 이렇게 빗대며 헛소리로 치부했습니다.

하지만 어머니가 정말 신비적인 환시를 보았다는 사실을 저는 다른 저 세계에서 알게 됐습니다. 어머니는 제게 이렇게 설명하셨습니다. "그래. 애야, 네 아빠를 보았단다. 그는 지옥으로 끌고 들어가려는 사탄의 속박에 묶여 있었지. 하지만 네가 알아야 할 것은, 내가 그 즉시 나의 묵주로 사탄의 속박을 풀어서 네 아빠를 우리 성당 모든 성인들 앞에 데리고 왔다는 점이다. 정말 힘든 싸움이었지. 사탄은 아빠를 사슬에 매어 아래로 끌고 가려 했고, 나는 묵주로 아빠를 다시 위로 끌어당겼지. 마침내 내가 아빠를 성당으로 데리고 가서는 주님께 이렇게 말씀드렸단다. '여기 이 사람을 주님께 데리고 왔사오니, 주님께서 이 사람을 구원해 주시시라 믿습니다.'"

아버지는 돌아가시기 8년 전에 회개하셨습니다. 크게 후회하며, 주 하느님께 용서를 청하셨습니다. 그리고 자비로우신 주님께서는 아버지를 용서해 주셨습니다. 하지만 아버지는 당신의 죄에 대한 보속을 다하지 않았습니다. 회개하였고, 고해성사를 받았고, 죄 사함을 받았지만 말입니다. 속죄할 기회를 더 이상 갖지 못했습니다. 그렇기에 제가 이미 묘사한 것처럼 연옥에서, 그 악취 나는 수렁에서 목까지 잠긴 채 있었던 것입니다.

저지른 죄를 속죄하고 우리 영혼의 상태를 다시 정상으로 돌릴 때 우리가 쉽게 잊어버리는 것이 있습니다. 사실 우리는 보속의 중요성에 대해 거의 의식하지 않습니다. 바로 그 때문에 죄를 짓기 이전의 상태로 돌아가는 경우가 극히 미미합니다.

하지만 예수님께서 거룩한 성사를 통해서 우리에게 은총을 내려 주시므로 우리는 죄를 씻을 수 있습니다. 우리가 축복받은 성사 안에서 그분을 방문하고 그분에게 기도를 드리면, 우리는 속죄라는 은총의 선물을 받으며 우리 죄로 인한 결과를 다시 정상으로 돌릴 수 있습니다.

하느님께서는 우리가 지금 살아가는 이 세상에서 지은 죄의 결과가 다른 이에게 어떤 영향을 미치는지 저 세상에서 우리에게 보여 주십니다. 주님은 우리의 죄 자체보다도 그 죄로 인해 다른 사람들에게 끼친 영향 때문에 더 많은 고통을 받고 계십니다. 이는 대개 애덕을 거스른 데서 비롯되는데, 하느님은 사랑 그 자체이시기 때문입니다.

제대에서 이루어지는 거룩한 성사와 기도만이 우리를 천국으로 인도하는 유일한 길입니다. 이것을 명심해야 합니다! 이 사실은 우리가 깊이 인식해야 하는 매우 중대한 사안입니다.

누군가가 자신의 배우자를 배신하게 되면, 그는 다름 아닌 주님을 배신하는 것이 됩니다. 그는 결혼식에서 하느님과 자신의 배우자에게 했던 약속을 어기는 것이 됩니다. 혼인 서약을 성실히 지키지 못할 사람은 결혼하지 않는 것이 오히려 더 낫습니다. 주님께서 우리에게 말씀하셨습니다. "혼인의 정결을 지키지 못한다면, 너 자신을 저주하는 것이다. 혼인 서약에 성실하지 못할 것 같으면, 결혼하지 마라."

주님께서 말씀하셨습니다. "나의 자녀들아, 너희가 배우자에게 신의를 지킬 수 있도록, 너희 하느님께 신의를 지킬 수 있도록 내게 기도하여라."

단지 정결을 지키지 못하는 데서 얼마나 많은 손해와 고통이 혼인생활에 주어지는지 예를 들어 보겠습니다.

한 남자가 사창가에 가거나 자신의 비서와 부적절한 관계를 시작하면, 성병 예방 접종에도 불구하고 바이러스를 자기 몸에 끌어들이게 됩니다. 그때는 목욕 요법도 소용이 없습니다. 그 바이러스는 죽지 않으며, 나중에 자기 아내에게 전해져 이것이 아내의 생식기나 자궁에 자리 잡고 있다가 훗날 악성 질병 등으로 드러나게 됩니다. 얼마나 끔찍한지!

이런 명약관화한 결과를 두고도 혼인의 정결을 어기는 것이 사람을 죽이는 것은 아니라고 주장할 수 있겠습니까? 부정不貞한 짓을 한 여자가 자신의 행위가 발각될까 봐 태아를 낙태시킨 경우가 얼마나 많은지! 그들은 아직 자신에 대한 표현도 못하고, 아직 자기 방어도 못하는 무고한 한 인간을 죽인 것입니다. 이는 찰나의 쾌락을 추구한 죄로 야기된 숨어 있는 결과들 중 하나일 뿐입니다.

혼인의 정결을 어기는 사람은 여러 방식으로 살인을 저지르게 됩니다. 철면피의 그는 하느님과 다투기까지 합니다. 자신이 원하는 대로 일이 되지 않을 때나 무슨 문제가 생기거나 병에 걸리게 되면, 그 원인을 제공한 이는 자신이면서도 하느님에게 그 불행의 책임을 뒤집어씌웁니다.

죄를 지음으로써 불행을 자초한 것은 바로 그 자신입니다. 죄의 이면에는 늘 원수가 도사리고 있습니다. 중대한 죄를 범하는 것은 바로 원수에게 문을 열어 주는 꼴이 됩니다. 그런데도 불행에 직면하면 우리는 쉽사리 하느님께 그 책임을 떠넘깁니다.

자신의 것이든 타인의 것이든 결혼 생활을 파괴하려고 하는 이들은 화를 입을 것입니다! 결혼으로 맺어진 결합을 파괴하려는 사람은 바위를 대적하는 것이며, 그 바위는 바로 예수님입니다. 하느님이신 주님께서 결혼 생활을 방어해 주십니다. 여러분은 이 점을 조금도 의심하지 말아야 합니다.

여러분에게 또 말하고 싶은 것은, 온갖 형태로 자녀의 결혼 생활에 끼어들어 부부의 관계를 악화시키는 시어머니나 장모가 되지 않도록 하고 그런 이들을 주의해야 한다는 점입니다.

비록 며느리나 사위가 마음에 들지 않더라도, 결코 그들 부부 사이에 관여하지는 말아야 합니다. 오히려 그들의 결혼 생활이 원만히 이루어지도록 기도해야 합니다. 그 두 사람은 이미 결혼했으니 더 이상 어떻게 할 수 없습니다.

그들을 위해서 시어머니 또는 장모인 여러분이 할 수 있는 유일한 것은 그들을 위해 기도하는 것입니다. 그 부부를 위해 기도하고 침묵하십시오. 그리고 매우 힘들지도 모를 여러분의 침묵을 주님께 봉헌하십시오. 많은 어머니들이 자녀의 결혼 생활에 간섭했기 때문에 결국에는 자기 자신을 망치게 되었습니다. 이것은 대죄입니다. 무언가 마음에 들지 않거나 또는 사위나 며느리가 자신의 배우자에게 죄를 짓고 있다고 느낄 때 시어머니나 장모는 침묵을 지키며 기도해야 합니다.

하느님께 그들을 위해 기도하고, 하느님께 도움을 청하십시오. 당사자 두 사람과 함께 대화하면서, 그들이 가정을 잘 지키고 아이들을 보살피도록 하십시오. 결혼 생활은 서로 사랑하고 서로를 끊임없이 용서하며 지속되는 것이라고 타이르면서 함께 기도하십시오. 결혼한 사람은 누구나 결혼 생활을 지속하기 위해 때로는 투쟁해야 합니다. 그런데 기도나 침묵이 아닌 다른 방식으로는 절대 자녀의 결혼 생활에 개입하지 말아야 합니다. 당사자 둘 중 어느 한 사람을 편드는 일은 더더구나 해선 안 됩니다.

사탄의 간교함

영화 '그리스도의 수난' Passion을 본 사람은, 예수님께서 매질을 당하시는 동안 그분을 바라보며 그분에게 흉악한 미소를 짓던 아기 모습의 사탄을 기억할 것입니다. 그런데 실제로 사탄은 아기가 아니라 괴물입니다. 온갖 사악함을 조장하고, 육체의 쾌락이나 마술이나 오류 등으로 많은 사람들을 자신의 노예로 만들어 버린 사악하고 역겨운 존재입니다.

이 사탄이 조성하는 오류 중 하나는, 악은 존재하지 않는다는 주장입니다. 사람들이 악의 존재를 부인하도록 이끌 정도이니 사탄이 얼마나 간교한지 생각해 보십시오. 사탄은 자기가 원하는 대로 우리를 조용히 다루기 위해 사탄은 존재하지 않는 것으로 사람들이 믿도록 갖가지 방법으로 사람을 속입니다.

사탄은 온갖 수단과 방법을 동원해서 우리 신앙인조차도 속이고 있습니다. 개개인의 나약한 부분을 이용해서 신앙인들을 혼란에 빠뜨립니다. 그래서 미사에 참례하면서도 한편으로는 점쟁이를 찾아가는 가톨릭 신자들이 실제로 무수히 많습니다. 왜냐하면 악이 신자들을 조장하여, 그건 별 문제가 되지 않으며 그렇게 해도 천국에 갈 수 있다고 믿게 하기 때문입니다. 그런 일로 다른 사람에게 해를 끼치지는 않는다고 믿기 때문입니다. 사탄은 매우 정교한 술책으로 이 모든 것을 유인하고 이용하며 지휘합니다. 간교하기 짝이 없습니다.

그러나 저는 여러분에게 분명히 말할 수 있습니다. 만약 여러분 중에 누가 점쟁이에게 가게 되면, 거기서 무엇을 하든지 하지 않든지 상관없이 그 짐승은 반드시 그 사람에게 자신의 낙인을 찍는다는 사실입니다. 마술을 신봉하거나, 카드 점쟁이를 찾아가거나, 영혼을 불러내거나, "탁자에 둘러앉아 서로 손을 잡고 영매를 찾거나", 심령술과 점성술을 하는 등으로 오늘날 크게 유행하는 이런 것을 단지 취미삼아 할 때라도 악한 짐승은 그 사람에게 자신의 낙인을 찍어 둡니다.

예전에는 저도 친구와 함께 그런 곳에 갔었습니다. 친구는 자신의 미래를 알고 싶다며 저를 데리고 무당에게 갔었습니다. 그리고 그곳에서 저는 짐승에게서 낙인이 찍혔습니다. 그리고 그 순간부터 제 안에서 뚜렷한 근거 없는 불안, 혼란, 반감, 가위 눌림, 초조, 고민, 두려움, 공포의 감정이 작용하기 시작했습니다. 심지어 자살하고 싶다는 충동에 크게 사로잡히기도 했습니다. 하지만 저는 그 이유를 전혀 알 수 없었습니다. 저는 심하게 울었고, 제가 무척 불행하다고 느꼈으며, 더 이상 평온을 찾을 수가 없었습니다. 기도했지만, 주님은 제게서 너무 멀리 떨어져 계신 것 같았습니다. 어릴 때부터 체험했던, 하느님이 가까이 계신다는 느낌을 더 이상 가질 수 없었습니다. 기도하는 것이 점점 더 힘들어졌습니다. 제가 그렇게 된 이유는 명확합니다. 제가 악한 세력에게 문을 열어 놓았고, 악한 세력이 제 삶에 강한 힘을 발휘하면서 제가 그것에 휘둘렸기에 그랬습니다.

연옥의 형벌

제가 처해 있던 무서운 심연, 그 끔찍한 장소로 다시 돌아가도록 하겠습니다. 저는 하느님의 존재를 믿지 않는, 사실상 무신론자였습니다. 저는 악마의 실존을 믿지 않았고, 따라서 하느님의 실존조차도 믿지 않았습니다.

하지만 거기, 그 상황에서 저는 소리치기 시작했습니다. "연옥에 있는 불쌍한 영혼들이여, 제발 나를 이곳에서 빼내 주셔요. 여기를 벗어나도록 도와줘요. 제발 나 좀 도와주세요!"

제가 그렇게 소리치자, 쥐어뜯는 듯한 고통이 제 안에서 솟구쳤습니다. 그 순간 저는 수백만 명의 영혼들이 엉엉 소리 내며 크게 울고 있는 것을 알았습니다. 그곳에 헤아릴 수 없이 많은 영혼들이 있는 것을 보았습니다. 청소년들, 특히 젊은이들이 많았는데, 그들 모두 이루 말할 수 없는 고통을 당하고 있었습니다. 그들이 그 끔찍한 장소, 증오와 고통으로 가득 찬 그 수렁과 진흙탕에서 이를 깨물며 신음하고 비명을 지르는 것을 저는 두 눈으로 분명히 보았습니다. 저를 엄청난 공포에 떨게 했던 그 장면을 저는 결코 잊을 수 없을 것입니다.

이해할 수 있겠습니까? 그 같은 고통스런 형벌은 하느님의 부재不在로 인한 것이며, 죄의 결과였습니다. 죄가 무엇인지 아십니까? 죄는 무한한 사랑의 하느님을 완전히 거역하는 것입니다.

죄는 이렇듯 무서운 것입니다. 그리고 죄는 아주 멍청한 결과를 가져 오는데 우리는 자주 그것에 대한 농담을 하곤 합니다. 죄나 지옥이나 악령에 관한 농담을 쉽게 합니다. 하지만 안타깝게도 그렇게 하면서 도대체 우리가 무엇을 하고 있는지 모르고 있습니다.

제가 이 일을 겪은 지 여러 해가 지났지만, 그것을 생각할 때마다 저는 고통을 당하고 있는 그 수많은 영혼들에 대한 연민으로 눈물을 흘립니다.

한순간의 절망으로 자살한 사람들도 있었습니다. 이제 그들은 그처럼 극심한 고통과 곤경에 갇혀 있으면서 그것을 감내해야 합니다. 자신들을 괴롭히는 그런 무서운 것들, 즉 악령들에게 둘러싸여서 끝없는 고통을 겪어야 합니다. 하지만 그런 극심한 고통 중에서도 가장 끔찍한 것은 바로 하느님의 부재, 하느님의 완전한 부재로 인한 것이었습니다. 그곳에서는 하느님을 느낄 수 없기 때문입니다.

자신의 생명을 스스로 포기한 사람은 그가 지상에서 더 살아야만 하는 햇수만큼 그곳에서 머물러야 한다는 사실을 저는 알았습니다. 왜냐하면 그는 자살로 하느님의 섭리에서 벗어났기 때문이며, 그 때문에 그에게 악령들이 다가간 것입니다.

연옥에서도 "거룩한 영혼들"은 또 다른 사악한 환경에서 보호받고 있었습니다. 그들은 이미 거룩하신 하느님의 소유로서 더 이상 악령들과 상관이 없었습니다.

오, 그렇게도 많고 많은 영혼들이, 대부분 청소년들인 그들이 울며 고통을 겪다니! 그것도 이루 말할 수 없는 고통을! 그들이 자살한 후에 닥칠 일을 알았더라면, 그들은 분명 그 순간 그가 처한 환경보다 훨씬 더한 고통을 주는 감옥 형벌 같은 것도 참아냈을 것입니다.

그리고 이 모든 것 외에도 그들이 견뎌야 하는 특별한 고통이 있는데, 아직 살아있는 자기 부모나 가까운 친지들이 자기들 때문에 겪는 고통, 치욕, 죄의식을 지켜봐야만 하는 것입니다. 가족이나 지인들은 이렇게 회한을 쏟아냅니다. "내가 만일 그 애를 좀더 엄격하게 키웠더라면…, 내가 만일 그에게 야단만 치기라도 했더라면…, 내가 만일 그를 야단치지만 않았더라면…, 내가 그와 대화를 했더라면…." 이러한 양심의 가책은 너무나 크고 무거워서 그들은 지상에 살면서도 지옥의 고통을 겪는 셈입니다.

한편 가족이나 지인들이 겪는 이런 고통을 지상이 아닌 그곳에서 그들이 지켜봐야만 한다는 것은 그들에게 가장 큰 고통입니다. 그것은 그들에게 가장 지독한 고통이며, 악령들은 이것을 즐기며 그들에게 이 모든 장면들을 보여 주며 이렇게 말합니다.

"네 엄마가 울고 있는 모습을 보렴. 네 아버지가 고통스러워하는 것을 봐. 그들이 얼마나 절망에 싸여 있는지, 두려움에 가득 차서 자책하고 서로 말싸움을 하며 남 탓을 하는지 보려무나. 네가 그들에게 준 고통을 보아라. 이제 그들이 하느님을 어떻게 거역하는지 똑똑히 봐. 네 가족들을 지켜보렴. 이 모든 것이 다 네 탓이야!"

이 "불쌍한 영혼들"에게 무엇보다 필요한 것은, 남아 있는 사람들이 더 나은 삶을 시작하면서 자기들의 삶을 바꾸며, 사랑의 덕을 완성하고, 환자들을 방문하며, 죽은 이들을 위한 미사를 봉헌하고, 주님의 거룩한 성찬 예식에 참례하는 것입니다.

그리하여 고통 중에 있는 그 영혼들은 그것으로 매우 많은 선과 위로를 얻게 됩니다. 연옥에 있는 그 영혼들은 자기 자신을 위해서는 할 수 있는 것이 아무것도 없습니다. 더 이상 없습니다. 하지만 하느님께서는 우리가 봉헌하는 미사의 무한한 은총을 통해 무엇인가를 하실 수 있습니다. 우리가 그들을 위해 미사를 봉헌함으로써 그들을 도울 수 있습니다. 그러므로 미사 성찬식에 자주 그리고 빠짐없이 참례하여 그 은총이 연옥의 영혼들을 위한 선물로서 하느님의 어머니이신 마리아를 통해 천상의 아버지께 전해지도록 해야 할 것입니다.

저는 연옥에서 두려움에 떨면서 그 영혼들에게 도움을 구했지만 그들은 저를 도울 수 없다는 사실을 그때 알았습니다.

그리고 그런 두려움, 그런 끔찍한 공포 속에서 저는 다시 소리를 지르기 시작했습니다. "이건 분명 누군가 실수한 거야. 실수한 것이 틀림없어! 날 봐! 난 거룩한 사람이었고, 모두가 나를 성녀라고 했어. 난 도둑질한 적이 한 번도 없으며 살인한 적도 없어. 아무에게도 해를 끼치지 않았어. 재정적으로 망하기 전에는 치아를 무료로 치료해 주었고, 사정이 어려운 환자들에게는 치료비를 요구하지도 않았어. 난 가난한 사람들을 위해 물질적인 도움도 제공했었어. 그런 내가 왜 여길 온 거지?"

저는 제 '권리'를 주장했습니다! 저는 정말 착한 사람이었고, 곧바로 천국에 가야만 하는 사람이라고 여겼습니다. "내가 여기서 뭘 하는 거지? 나는 매주일마다 미사에 참례했어. 비록 무신론자라고 떠벌렸고, 주임 신부님이 말하는 내용에 전혀 신경을 쓰지 않았지만 말이야. 나는 성체성사를 결한 적이 거의 없어. 이때껏 미사를 결한 것이 다섯 번도 되지 않아. 그런데 내가 왜 여기 있는 거야? 나를 여기서 내보내 줘! 이 더러운 곳에서 꺼내 줘!"

저는 계속해서 소리치며 펄쩍펄쩍 뛰었습니다. 저의 온몸이 구역질나는 지렁이들과 애벌레들로 온통 뒤덮인 채 저는 울부짖었습니다. "난 가톨릭 신자야. 진짜 가톨릭 신자야. 제발 나를 여기서 내보내 줘!"

아버지와 어머니를 만나다!

지상의 제 육신이 깊은 혼수상태에 빠져 있을 때, "나는 가톨릭 신자"라고 소리쳤을 때, 저는 작은 빛줄기를 보았습니다. 아주 가는 빛이었지만 매우 짙은 암흑 속이었기에 뚜렷하게 드러났습니다. 여러분도 만약 그 형언할 수 없이 절대적인 암흑을 경험하게 되면 알게 될 것입니다.

그 무서운 암흑의 늪 같은 구덩이 위로 계단이 몇 개 보였는데 위를 바라보니 저의 아버지가 서 계셨습니다. 아버지가 세상을 떠난 지 5년만의 만남이었습니다. 아버지는 저보다 몇 계단 위의 구덩이 언저리에 서 계셨습니다. 아래쪽에 서 있는 저보다 아버지는 좀더 많은 빛을 지니고 있었습니다.

그리고 네 계단 위에는 저의 어머니가 서 계셨는데, 어머니는 우리 부녀보다 더 많은 빛을 발산했습니다. 어머니는 기도에 오롯이 몰두한 모습이었습니다. 그리운 부모님을 그곳에서 보았을 때, 저는 구원자를 만난 것 같아 매우 기뻤으며 그래서 큰 소리로 도움을 청했습니다. "아버지, 어머니! 이렇게 보게 되다니 너무 기뻐요. 제발 저를 여기서 끌어올려 주셔요! 진심으로 부탁드려요. 저를 여기서 벗어나게 해 주셔요! 여기서 꺼내 주셔요!"

그런데 부모님이 저 아래에 있는 당신들의 딸에게로 눈길을 돌린 순간에, 아버지가 당신 딸의 비참한 처지를 목격한 순간에, 아버지와 어머니의 얼굴에 드러난 엄청나게 고통스런 표정을 어떻게 표현할 수 있을까요? 그곳에서 저는 영혼의 깊은 내면을 읽을 수 있었기에 그 표정에서 부모님의 내적인 고통을 즉시 보게 되었습니다. 저는 단지 부모님을 바라보았을 뿐이지만 부모님이 딸을 보면서 느끼는 엄청난 슬픔과 고통을 곧바로 알 수 있었으며 느낄 수 있었습니다.

아버지는 비통하게 울기 시작했고, 손으로 얼굴을 감싸고는 떨리는 목소리로 한탄했습니다. "아, 내 딸아! 아, 내 아기!" 어머니는 계속 기도하셨습니다.

부모님이 저를 그곳에서 구하는 것은 불가능하다는 것을 저는 깨달았습니다. 그러자 저로 인해 부모님이 고통과 괴로움을 추가로 더 짊어져야 한다는 생각이 들면서 저는 몹시 고통스러웠습니다. 부모님이 저와 함께 고통을 나누면서도 저를 위해 할 수 있는 게 아무것도 없다는 사실을 알았을 때 더욱 더 고통스러웠습니다.

그런데 부모님이 거기에서 당신들의 딸이 고통을 겪는 것을 모조리 지켜보아야 했던 것은, 자녀에게 시켜야 했던 교육에 관해 주님께 정산定算해야 하기 때문이었습니다. 저는 그것을 분명히 깨달았습니다.

부모님은 하느님께서 제게 주셨던 달란트의 파수꾼으로 임명되신 것입니다. 그래서 자신들의 삶과 모범으로 사탄의 공격으로부터 저를 보호해야만 했습니다. 부모님은 하느님께서 제게 주셨던 은총을 소중히 간직하도록 도왔어야 했습니다. 세상의 모든 부모는 하느님께서 그들의 자녀들에게 주신 달란트의 파수꾼입니다.

안락사

저는 또다시 온 힘을 다해 소리쳤습니다. "여기서 꺼내 줘요! 뭔가 잘못된 게 틀림없어요. 나를 여기서 꺼내 줘요!"

이렇게 소리치는 순간에도 지상의 제 육신은 깊은 혼수상태에 빠져 있었습니다. 제 몸에는 많은 기계 장치가 연결되어 있었습니다. 저는 사망선고가 내려지기 직전의 상태까지 갔습니다. 폐에는 공기가 차 있지 않았고, 신장은 전혀 기능을 하지 않고 있었습니다.

제 몸은 오로지 기계의 힘에 의해서 연명되고 있었습니다. 의사인 제 여동생이 기계 장치를 계속 연결해 놓도록 막무가내로 억지를 부렸기 때문에 겨우 살아 있는 셈이었습니다. 모든 치료를 중단하고 기계 장치를 제거하려는 의료진을 여동생은 "당신들은 신이 아니잖아요!" 하며 설득했습니다.

치료를 계속하는 것이 더 이상 소용이 없다는 것이 의사들의 의견이었습니다. 그들은 이미 제 가족에게, 환자가 죽음에 임박

했으니 편안하게 죽음을 맞도록 해야 한다는 말로 마음의 준비를 시켰습니다. 왜냐하면 무척 긴 시간 동안 제가 깊은 가사상태에 있었기 때문입니다.

하지만 제 여동생은 물러서지 않았습니다. 아, 이렇게 대조적인 상황이 있을까요? 저는 늘 안락사를 옹호했었습니다. 이른바 "존엄하게 죽을 권리"를. 반면에 여동생은 이미 죽음의 선고를 받은 제 곁을 꿋꿋이 지키고 있었습니다. 그리고 저 세상에 있는 제 영혼이 부모님을 만나 온 힘을 다해 소리를 지르는 그 순간, 정말 바로 그 순간에, 이 세상에 있던 여동생은 제가 부모님을 만나 기뻐서 그들을 향해 내지르는 소리를 들었던 것입니다.

하지만 그녀는 제가 지르는 소리를 잘못 이해했습니다. 그 비명을 들었을 때 그녀는 너무 놀라서 거의 죽을 뻔 했다고 합니다. 그녀는 제 침대 곁에서 분명히 들은 그 비명을 제가 이 세상을 떠나면서 마지막으로 내뱉는 것으로 여겼습니다. 제가 부모님을 향해 질렀던 비명을, 부모님이 저를 영원히 데리고 가는 것으로 해석했습니다. 그래서 그녀도 이렇게 소리쳤다고 합니다.

"언니, 이제 정말 가는 거야? 싸움에서 졌구나. 아버지 어머니가 언니를 데리러 왔구나. 아버지, 어머니, 여기를 떠나세요. 제발 여기서 사라져요! 언니를 데리고 가지 말아요. 아직 어린 아이들이 있잖아요. 언니를 데리고 가지 말아요! 제발 언니를 데리고 가지 말아요. 그냥 여기 둬요!"

그러자 의사들은 동생이 쇼크 상태에 빠져 그런 것으로 여겨 그녀를 제게서 떼어 놓았습니다. 그렇게 여기는 것도 당연했습니다. 왜냐하면 그녀는 너무나 고통스런 터널을 지나와야 했기 때문입니다. 사랑하는 조카의 죽음을 지켜보아야 했고, 그가 한 줌의 재로 사라지는 고통을 맛보아야 했으며, 이제는 오늘을 더 이상 넘기기 힘들다는 의사의 선고를 들으며 언니의 죽음에 직면해야 했습니다. 여동생은 그날까지 벌써 사흘째 근심과 초조 속에 시달렸고 잠도 자지 못한 상태였습니다. 그래서 의사들이 그녀가 거의 망가진 상태라고 생각한 것은 당연했습니다.

2

하느님의 십계명 시험

"아니야, 너는 네 주 하느님을 모든 것보다 더 사랑하지 않았어! 그분은 네가 곤란할 때만 찾는 부적 같은 존재였지! 불쌍한 처지에서 너를 해방시켜 달라고, 네게 명예로운 직업을 달라고, 사회에서 인정받는 인물이 되게 해 달라고 너는 끊임없이 기도했으며 그 청을 위로 올려 보냈지. '묵주기도를 바치오니, 주님, 제게 곧바로 돈이 주어질 수 있도록 저를 잊지 말아 주십시오.'"

하느님의 십계명 시험

저는 다시 소리치기 시작했습니다. "아무도 나를 이해하지 못하는구나! 나를 여기서 꺼내 줘. 난 가톨릭 신자야! 이 모든 것이 누군가의 실수이며 착각이야! 누가 착각했을 거야! 제발 나를 여기서 꺼내 줘!"

그토록 절망적으로 소리치는 순간 저는 갑자기 어떤 소리를 들었습니다. 매우 부드럽고 사랑스런 목소리였는데, 바로 천상의 소리였습니다. 그 소리를 들었을 때 제 영혼은 온통 흥분으로 가득 차서 전율했습니다.

이어서 평화가 제 영혼 깊숙이 자리 잡으면서 저는 상상할수도 없는 사랑의 감정에 사로잡혔습니다. 그러자 그때껏 저를 에워싸고 있던 어두운 형상들과 해충들이 모조리 도망치듯 제게서 물러갔습니다. 왜냐하면 어둠의 세력은 사랑을 대적할 수 없고, 평화도 견딜 수 없기 때문입니다. 그것들은 힘없이 바닥으로 떨어졌으며 아무리 주님께 애원한다고 할지언정 그곳을 벗어나지 못할 것입니다. 이 모든 일이 제게 강한 인상을 남겼습니다.

형언할 수 없을 정도로 깊은 평화가 저를 감싸고 있을 때 그 매혹적인 목소리가 제게 말했습니다. "그래, 좋아! 네가 정말 가톨릭 신자라면, 하느님의 십계명이 뭔지 내게 확실히 말할 수 있겠구나!"

이 요청은 제게 매우 불리했습니다. 저는 자신을 힐책했습니다. 제가 직접 친 덫에 자신이 걸린 것 같았습니다. 온 세상이 제가 어긴 약속, 제가 고백한 죄를 들을 것 같았습니다. 그 요청에 답을 한다는 것이 너무 두려웠습니다. 그 순간 궁지에 몰린 제 처지를 상상할 수 있겠습니까? 십계명이 있다는 것은 분명 알고 있었습니다. 하지만 그게 전부였습니다. 있다는 사실은 알지만 내용에 관해서는 백지 상태였습니다. '맙소사! 이 궁지를 어떻게 빠져나가지? 어떻게 하나? 포기하지 말자. 어떻게든 되겠지!'

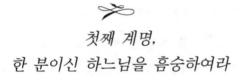

첫째 계명,
한 분이신 하느님을 흠숭하여라

어머니는 사랑의 첫 계명에 대해 생전에 자주 언급했었습니다. 그런데 그것이 궁지에 몰린 제게 도움이 되었습니다. 어머니의 끊임없던 훈계와 가르침은 정말 헛되지 않았습니다. 어머니도 그것을 기뻐할 것입니다. 당신 딸이 당신의 가르침 덕분에 최소한 완전한 무지를 보이지는 않았으니 말입니다.

저는 그때까지 살아오면서 늘 최고의 언변을 자랑했고 융통

성을 발휘하며 모든 일을 순조롭게 잘 처리했었습니다. 늘 그러했기에 제가 십계명도 제대로 모를 만큼 무지하다는 사실을 아무도 눈치 챌 수 없었습니다. 그런데 그때 제 본래 모습이 적나라하게 드러나고 말았습니다.

저는 대답했습니다. "가장 큰 계명은 '하느님을 모든 것 위에 사랑하고, 네 이웃을 너 자신처럼 사랑하라!' 는 것입니다." 그러자 "아주 좋아!"란 대답이 들렸습니다.

하지만 즉시 그 친절한 목소리가 이렇게 물었습니다. "그런데 너는 네 이웃을 사랑했니?"

제가 곧바로 대답했습니다. "예, 예, 사랑했어요. 정말 사랑했어요. 예, 예, 사랑했습니다!"

그러자 다른 소리가 말했습니다. "아니야!"

간단명료하고 날카로운 부정이었습니다!

여러분은 제 말을 귀담아 들어야 합니다. "아니야!"라는 그 날카로운 말을 들었을 때, 그것은 마치 번개처럼 강하게 제게 내리꽂혔습니다. 벼락을 제대로 맞은 것 같았습니다. 큰 충격이 있었고 몸이 마비되는 것 같았습니다. 충격은 거기서 그치지 않았습니다.

그 목소리가 계속 말했습니다. **"아니야, 너는 네 주 하느님을 모든 것보다 더 사랑하지 않았어! 더군다나 네 이웃을 네 몸처럼 사랑한 적은 결코 없었어! 너는 네 하느님을 네게 짜 맞춰서 생각했어. 네가 큰 곤경에 처한 그 순간에만 하느님께 자리를 내어 드렸어. 그분은 네게 있어, 네가 곤란할 때만 찾는 부적 같**

은 존재였지! 예전에 네가 가난했을 때, 네 가족이 아주 소박하게 살았을 때, 네가 절대적으로 나은 직업교육과 사회적 지위를 원했을 때 너는 그분 앞에 엎드렸지. 그래, 그때는 매일 기도했고, 기도를 하며 많은 시간을 보냈었어. 너는 오랜 시간 동안 주님께 청원하고 간청했으며, 그분 앞에 무릎을 꿇었었지. 불쌍한 처지에서 너를 해방시켜 달라고, 네게 명예로운 직업을 달라고, 사회에서 인정받는 인물이 되게 해 달라고 너는 끊임없이 기도했으며 그 청을 위로 올려 보냈지. 간단히 말해, 어려울 때 너는 돈을 원하며 이렇게 기도했었지. '묵주기도를 바치오니, 주님, 제게 곧바로 돈이 주어질 수 있도록 저를 잊지 말아 주십시오.' 너의 수많은 기도는 바로 이와 유사한 것이었어. 그리고 이것이 바로 네가 하느님과 가졌던 관계였어! 너는 네 주 하느님과 이런 방식으로 교류했는데도 그분께 네 삶의 가장 사랑스런 자리를 내어 드렸다고 생각하는구나!"

그건 맞는 말이었습니다. 저는 그동안 하느님을 그렇게 취급했습니다. 그 목소리가 들려 준 그대로였습니다. 제가 이의를 제기하거나 부인할 수 없는 비참한 진실이었습니다. 그것에 덧붙인다면, 제게 있어 하느님은 일종의 '현금 지급기' 같은 존재였습니다. 가끔 묵주기도를 드렸지만, 그것은 지폐가 들어가서 제게 지급되도록 하는 수단에 지나지 않았습니다. 이것이 제가 하느님과 맺었던 관계의 전부였습니다.

그 사실이 당사자인 제게 고스란히 드러났습니다. 하느님께서 제가 훌륭한 직업을 가질 수 있는 교육을 마칠 수 있도록 허락하시자마자, 제가 사회적 명성을 얻도록 허락하시자마자, 많은 돈을 쥐게 되고 능력이 많아지도록 허락하시자마자 하느님은 제게 별로 중요하지 않게 되었습니다. 제 인생에서 하느님이란 존재는 부차적인 것이 되어 버렸습니다.

그와 동시에 저는 모든 것에 자신이 생겼고 우쭐해지기 시작했습니다. 자부심은 인생을 살아가는 데 있어 매우 위험한 걸림돌입니다. 저의 자아가 거대하게 자라났습니다! 그러면서 저는 하느님께 단 한 번도 아주 작은 사랑의 표시를 하지 않았고, 하느님께 감사하는 능력을 잃은 지는 오래되었습니다! 왜 그렇게 되었을까요? 모든 일을 제 힘으로 다 이루었으니 당연한 결과였습니다!

저는 완전히 "다른 사람"이 되었습니다. 그동안 꿈꾸어 온 모든 것을 저 혼자 다 이룬 것입니다. 저는 완전히 장님이었고, 제가 하느님께 간청했던 것을 더 이상 기억하지 못했습니다. 그때는 제가 하느님께 이렇게 기도하는 것이 불가능했습니다. "주님, 이 날들을 덤으로 주셔서 감사합니다! 건강을 주셔서 감사합니다! 제 아이들이 건강하게 살 수 있도록 해 주셔서 감사합니다! 제게 머리 누일 집을 주셔서 감사합니다! 집 없는 불쌍한 사람들도 도와주시고, 그들이 오늘 무엇을 먹고 살아야 할지 걱정하지 않게 도와주소서. 그들에게 적어도 먹을 것을 주소서. 그들을 홀로 내버려 두지 마시고 그들 곁에 계셔 주소서!"

그때는 이런 감사를 드린다는 것은 상상조차 할 수 없었습니다. 그럴 능력이 없었던 것입니다. 그리고 그런 것에 대해서 생각조차도 하지 않았습니다. 저는 완전히 저 자신에게 빠져 있었습니다. 저 혼자만으로도 충분했습니다. 이처럼 저는 이 글을 읽는 여러분이 상상하는 대로 지극히 배은망덕한 존재였습니다. 전혀 감사할 줄 몰랐을 뿐 아니라 하느님을 경멸하고 비웃음거리로 삼기까지 했습니다.

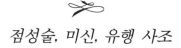

점성술, 미신, 유행 사조

저는 눈에 보이지 않는 하느님보다 오히려 수성, 금성 등의 별자리를 더 믿었습니다. 행운의 물건이 하느님보다 더 중요했습니다. 점성술과 별점에 눈이 멀어 있었고, 별자리가 제 삶에 얼마나 좋은 영향을 끼쳤는지를 떠벌리고 다녔습니다.

믿는 이들 중에 점성술에 빠져 있는 이들이 적지 않습니다. 그런데 사악한 힘에 근원을 두고 있는 그 술수에 자신이 얼마나 빠져 있는지를 알아챈 후에는 거기서 헤어나기 어렵습니다.

저는 세상에서 유행되는 사조에 맞춰 살기 시작했습니다. 모든 유행 사조, 그것이 비록 병든 두뇌에서 나온 것이라고 해도 제게는 하느님의 복음보다 더 흥미로웠습니다. 성경과 가톨릭 교회의 수백 년에 걸친 가르침보다 더 많은 지식을 전해 주는 것 같았습니다.

그에 따라 저는 환생을 믿기 시작했습니다. 믿음이 없고 영혼이 없던 제 삶을 채우기 위해 제가 환호하며 반겼던 가르침이 바로 환생이었습니다. 그러자니 창조주에 대한 감사는 낯설게 되었습니다. 그런 것은 생각조차도 하지 않았습니다.

은총이란 말은 제 사전에서 지워 버렸습니다. 그것은 마치 외래어 같았고, 그 뜻마저 완전히 망각하며 살았습니다. 제 삶에 은총은 더 이상 필요하지 않았으며 무의미해졌습니다.

그 당시에 저는 주님께서 저를 위해서도 비싼 값을 치르셨고, 그분 희생의 피에 의해 저도 자유로운 몸이 됐다는 사실을 전혀 모르고 있었습니다. 이 모든 것을 십계명 시험에서 천상의 목소리가 던지는 말씀과 질문으로 알게 되었습니다.

저는 그때 모든 것을 완전하고도 명백하게 알게 되었습니다. 그동안 제 눈을 덮고 있던 것이 씻기듯 사라졌습니다. 그 목소리는 제가 십계명을 제대로 알고 있는지 시험했습니다. 그 목소리는 제가 하느님을 공경하고 사랑한다고 하면서 우쭐됐던 것을 꾸중했습니다. 그 목소리는 제 말투로 저를 내리쳤습니다. 그 순간 '이제 나는 어떻게 되나? 악마가 내게 명한 대로 지옥으로 가야만 하나?' 라는 생각이 머리를 스쳤습니다.

언젠가 어떤 친절한 여성이 진료실로 저를 찾아와서는 행운의 엑기스를 제게 뿌려서 불행을 몰아내는 의식을 해 주겠다고 한 적이 있습니다. 그래서 저는 그녀에게 이렇게 말했습니다. "난 이런 것을 믿지는 않아요. 하지만 해가 되는 게 아니라면 어딘가에는 좋을 테니 다른 사람들이 모르게 하세요." 그러자 그녀는 약초 혼합물을 태워 연기를 피우며 주문을 외웠습니다. 제 방 안에 행운과 안녕이 찾아들 수 있도록 그 액체를 뿌렸습니다.

또한 저는 제 진료실 한 구석에, 다른 사람들 눈에 띄지 않는 곳에 알로에 한 조각을 숨겨 놓았습니다. 그렇게 하면 방 안의 나쁜 에너지가 사라지게 된다고 들었던 것입니다.

저는 이렇듯 원초적인 마술과 미신까지 제 인생에 받아들였던 것입니다. 주님과 그분의 복음보다 더 중요한 의미를 그런 것들에 부여했습니다. 제가 얼마나 잘못된 길에 접어들었던지! 진리 대신에 얼마나 공허하고 조잡한 오류가 제 인생을 지배하고 있었는지 납득이 될 것입니다. 너무 부끄럽습니다. 지금까지도 그 일들을 부끄럽게 여기고 있습니다. 하지만 당시에 제 삶은 정말 그랬습니다!

그리고 그 목소리는 하느님의 십계명을 근거로 하여 지난날의 제 삶을 계속 되짚었습니다. 그때까지 제가 다른 사람에게 어떻게 했었는지 매우 정확히 보여 주었습니다.

하지만 저는 하느님에게서 등을 돌리기 전에는 주님을 사랑하며 좋아한다고 자주 고백하곤 했습니다. 무신론의 오류에 빠져들어 잘못된 가르침을 따르기 시작하기 전에는 주님께 이렇게 속삭이기를 자주 했습니다. "내 주 하느님, 주님을 사랑합니다!"

미움, 분노, 비난

그런데 그토록 주님을 찬미하고 주님께 사랑을 고백했던 바로 그 혀로, 바로 그 입으로 저는 하느님을 따르는 모든 사람을 내리쳤고, 그들에게 욕을 퍼부었습니다.

저는 하느님과 관계된 모든 사람과 모든 일을 비난하고 비판했습니다. 그 모든 것이 제 비위를 상하게 했기 때문입니다. 나아가 저는 이 세상 전체를 향해 손가락질을 해댔고, 세상 탓을 했습니다. 저의 날카로운 화살을 피한 것은 오로지 저 자신뿐이었습니다. 책임을 면할 수 있는 이는 오로지 저 자신뿐이었습니다! 제가 보기에 저는 정말이지 "성녀 글로리아", "좋은 사람", "사랑스런 이", "아름다운 이"였습니다.

그런데 저의 지난 시간을 되돌려 다시 보니, 하느님을 사랑한다고 말하면서도 제가 얼마나 뽐냈던지, 얼마나 시기심 많고 참을성 없는 사람이었던지, 얼마나 고마움을 모르는 사람이었던지 명명백백하게 드러났습니다.

또한 제가 좋은 직업을 가질 수 있는 교육을 받도록 하기 위해, 제가 사회적으로 상승할 수 있도록 하기 위해, 부모님이나 다른 가족들이 했던 그 모든 노력과 희생과 사랑에 대해서 저는 단 한 순간도 그들에게 감사한 적이 없었고 그것을 인정한 적도 없었습니다. 게다가 필요한 교육을 마치자마자, 제 경력의 사다리를 올라타자마자, 부모님과 가족들은 제게 더 이상 중요한 존재가 되지 못했습니다. 심지어 가능한 모든 방법을 동원하며 늘 저를 지원했던 그들이 제게 귀찮은 존재가 되기까지 했습니다. 그렇습니다. 제가 어머니를 부끄러워하는 지경까지 갔습니다. 어머니의 출신이 별 볼일 없다는 점에서, 매우 가난한 집안 출신이라는 이유로 저는 어머니를 부끄러워하게 되었습니다.

"네가 경배하는 유일한 하느님은 돈이야"

한편 그 목소리는 그동안 저의 이기적인 생활 태도로 인해 제가 아내로서, 엄마로서 얼마나 잘못 살았으며 헛살았는지를 깨닫게 해 주었습니다. 제 모습은 하느님께서 그리스도인 아내라는 사람에게서 바라시는 기대와는 완전히 동떨어진 것이었습니다.

저는 도대체 어떤 아내였을까요? 그 목소리가 적나라하게 보여 주는 바에 의하면 저는 하루종일 투덜거리기만 했습니다. 아침에 일어나는 순간부터 그랬습니다. 남편이 제게 다정하게 "좋은 아침!"이라고 인사하면 저는 이렇게 대꾸했습니다. "도대체 뭐가 좋은 아침이야? 창 밖을 봐요! 또 비가 내리잖아!"

저는 늘 기분이 나빠 있었습니다. 그래서 뭔가 잘못된 일을 들추기만 하고 곧바로 비난의 화살을 상대방에게 쏘아댔습니다. 제가 보기에 제대로 된 사람은 아무도 없는 것 같았습니다. 사소한 것이라도 꼬투리를 찾게 되면 그것을 물고 늘어졌습니다. 이것은 남편에게만 한정되지 않았습니다. 저의 아이들에게도 마찬가지였습니다. 남편에게 했던 그대로 하면서 아이들을 들볶았습니다.

또한 저 세상에서 그 목소리는 제가 한 번도 가족 외의 형제자매나 동료에게 제대로 된 사랑의 감정이나 순수한 동정심을 가져 본 적이 없었다는 것을 여실히 보여 주었습니다. 주님께서도 이렇게 말씀하셨습니다. "넌 순수하게 그들을 생각하고 대한 적이 없었어!"

그런데 그곳에서 수많은 병자들과 외로운 처지에 있는 사람들을 보면서 저는 탄식했습니다. "오, 주님, 저들이 너무 불쌍합니다. 저 병자들이 얼마나 외로울지. 그들에게 관심을 갖는 이가 아무도 없습니다. 제가 그들을 방문하여 그들을 위로하고, 그들과 함께 있으면서 그 외로움을 덜어 줄 수 있는 은총을 제게 주소서. 오, 주님, 엄마가 없는 이 많은 아이들, 어린 고아들이 이토록 어린 시기에 얼마나 많은 고통을 참아내야만 하는 것입니까?"

저는 여기 다 쓰지 못한 수많은 사실들을 보았고, 시험이 계속 진행될 때마다 제 앞에 있는 저의 "굳어 버린 심장"을 더욱 또렷이 볼 수 있었습니다. 순간 예전의 제 모습에서 발견할 수밖에 없는, 돌처럼 굳어 버린 제 심장은 마치 괴물 같았습니다.

그리고 모든 것이 분명해졌고 명확해졌습니다. 예전의 제겐 너무 익숙했던 일이었지만 이제는 그것에서 벗어날 수 없게 되었습니다. 그리하여 저는 하느님의 십계명을 토대로 한 그 시험에서 폭탄과 수류탄을 맞고 바닥으로 떨어졌습니다. 과거의 제 삶을 근거로 해서는 도저히 합격할 수가 없었습니다.

그때 보니 지난날의 제 삶은 형언할 수 없을 만큼 끔찍했습니다! 저는 과거에 그토록 엄청난 무지와 혼란 속에서 살았던 것입니다. 하느님께서 주신 질서를 제 안에서나 제 인생에서 도무지 찾아볼 수 없을 지경입니다. 살인을 저지른 적이 없다는 것도 제게 전혀 도움이 되지 않았습니다. 이 글을 읽는 여러분에게 조금이라도 도움이 될까 싶어 한 가지 예를 들겠습니다.

저는 가난한 사람들에게 생필품이나 옷 또는 필요하겠다 싶은 많은 물품을 매우 자주 전해 주곤 했습니다. 하지만 그들에게 단 한 번도 저 자신을 내어 놓는 사랑을 준 적은 없었습니다. 대신에 제가 얼마나 착한 사람인지를 보여 주고 인정을 받기 위해, 그들에게 좋은 인상을 억지로 심어 주기 위해, 사회에서 최신 유행을 달리는 저에 대한 좋은 이미지를 심어 주기 위해 그렇게 했던 것이 대부분이었습니다.

저는 매우 부유했기 때문에, 사람들에게 제가 얼마나 선하고 자비로운 사람인지를 보여 주고자 했던 일이었습니다. 제가 베푼 자선으로 사람들의 입이 벌어지고, 저를 부러워하며 제게 감탄을 쏟도록 의도한 일이었습니다. 저는 부자였기에, 제게는 그 비용이 부담되지 않는 선물 공세로 가난한 사람들의 곤경과 가난함을 조종하려고 했으며, 또한 그들을 제게 유리하게 이용하려 했습니다. 예를 들면, 저는 이렇게 말했습니다. "(제가 그것을 – 대개는 공짜로 생긴 것이거나 남는 것들 – 주었으니) 부탁인데, 저 대신 아이들 학교의 학부모 모임에 참석해 주세요. 제가 직접 참석해야 하지만 아쉽게도 그런 모임에 갈 시간이 없어요."

이런 식으로 저는 주변 사람들 모두에게 많은 선물 공세를 퍼부었습니다. 하지만 그 모든 선물에는 눈에 보이지는 않지만 어떤 조건이나 요구가 달려 있었습니다. 즉 저는 제가 원하는 대로, 필요에 따라 사람들을 부렸습니다. 제 마음대로 사람들을 조종했고, 그들은 제게 구속되어 있었습니다. 그리하여 그들은 제가 매우 자비로운 사람이고, 착한 사람이며, 성녀라며 제 등 뒤에서 속삭였는데 그런 얘기를 들을 때마다 전 매우 흡족해 하곤 했습니다.

이처럼 저는 사회에서 좋은 인상을 만들었습니다. 아무도 그것이 거짓 이미지이며 사실과 다른 허상이라는 사실을 눈치 채지 못했습니다.

그런데 그 시험에서 지난날의 모든 이미지가 모조리 거짓이었음이 명백하게 드러났습니다. 그 목소리가 제게 말했습니다. **"네가 경배하는 유일한 하느님은 돈이야. 돈이라는 우상 때문에 넌 죄에 떨어졌어! 돈과 황금이라는 네 우상 때문에 너는 나락으로 떨어졌어. 그리하여 너는 하느님에게서 계속 멀어졌구나."**

한 치도 틀림이 없는 소리였습니다. 오랜 시간 저는 매우 많은 돈을 지녔었지만, 그런 후 파산했습니다. 그 빚이 제 머리 위를 덮을 만큼 불어났고, 저는 많은 빚을 졌습니다. 돈을 모두 잃고 나서 알거지가 되었습니다.

그 목소리가 제게 그 모든 것이 돈 때문이라고 비난했을 때, 저는 그 즉시 소리쳤습니다. "그런데 무슨 돈을 말하는 거예요? 나는 지상에 산더미 같은 빚을 지고 왔는데…." 그리고는 더 이상 할 말이 없었습니다.

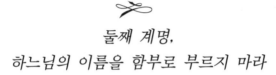

둘째 계명,
하느님의 이름을 함부로 부르지 마라

그 목소리가 이제 둘째 계명으로 저를 꾸짖을 때였습니다. 그때 보니 후회스럽긴 했지만, 이따금 매우 무섭고 가혹하게 여겨졌던 어머니의 벌을 피하기 위해서 저는 아주 어린아이였을 때부터 거짓말을 가장 효과적인 수단으로 사용했었다는 사실이 그때 명백하게 드러났습니다.

그 어릴 때부터 저는 모든 거짓의 아비인 사탄의 사회에서 사탄이 이끄는 길을 가기 시작했습니다. 악마는 저의 동반자가 되었습니다. 저는 큰 거짓말쟁이가 되었던 것입니다. "예술적인 거짓말"의 수준까지 올라갔습니다. 거짓말의 수준이 점점 더 완벽해져 갔습니다. 저의 죄가 점점 더 커지고 무감각하게 될 지경까지 거짓말의 수준이 올라갔고, 그러면서 수치심도 사라졌습니다. 그야말로 저는 거짓말의 대가가 되었습니다. 거짓말의 강도는 점점 더 심해졌고 제 머리 꼭대기에 있었습니다. 마찬가지로 빚도 늘어났습니다. 저는 성인이나 주님의 이름을 걸거나 성물을 두고 거짓말을 하는 데 완벽했습니다.

저의 어머니는 하느님께 대한 믿음이 강했습니다. 어머니에게 주님의 이름은 매우 거룩하고 경외해야 할 대상이었습니다. 그런데 그 생각이 제 머리를 스쳤을 때 그것이 제게 아주 유용한 무기가 될 것이라는 생각이 들었습니다. 그래서 저는 말 그대로 어머니를 제 손에 쥐고 주물렀습니다.

사소한 일에서도 거짓말을 완벽하게 하기 위해서 저는 하느님께 맹세하기 시작했습니다. 저는 하느님의 이름을 그냥 아무런 가책 없이 입에 올렸습니다. 예를 들면, 어머니에게 이런 말을 자주 했습니다. "엄마, 사랑하는 그리스도께 맹세하건데…." "엄마, 하느님의 이름을 걸고 맹세하는데 그것은 확실해요." 그리고 이런 그럴싸한 거짓말로 어머니한테 받아야 할 벌을 용케 피했습니다.

저 자신이 대단하게 느껴졌던 그런 거짓말과 크고 작은 잘못들, 그런 쓰레기 같은 일을 위해 저는 지극히 거룩하신 하느님의 이름을 오용했습니다. 제가 얼마나 지독한 죄의 수렁과 오물 속으로 하느님을 끌어 넣었는지 여러분은 상상할 수 없을 정도입니다.

주님을 사랑하는 모든 형제자매님들, 제 말에 귀를 기울여 주십시오. 지금 제가 전하는 것은 제가 직접 죽음의 체험을 통해서 보고 들은 것입니다.

우리가 입으로 그처럼 경솔하게 생각 없이 내뱉는 길고 짧은 말들은 결코 그냥 바람에 의해 사라지지 않으며, 결코 그냥 허공으로 흩어져 없어지지 않습니다. 그렇습니다! 우리가 무심코 내뱉은 말들은 대기 중으로 사라지지 않고, 말한 그 순간의 진실을 지니고 남아 있습니다. 그리고 그것은 먼 훗날 마치 부메랑처럼 되돌아와서는 우리에게 꽂힐 것입니다.

아마도 제가 지금 하는 얘기를 들으면서 여러분은 등골이 오싹해지는 느낌을 받을 것입니다. 제 어머니가 고집스럽게도 제 말을 곧이들으려 하지 않자 저는 간단명료하게 이렇게 말했습니다. 그것도 한 번이 아니라 매우 자주 그랬습니다. "엄마, 내 말이 거짓말이면, 내가 벼락을 맞을 거예요. 정말이지 엄마한테 솔직하게 얘기하는 거예요."

제 뜻을 이루려고 생각 없이 자주 내뱉었던 이 말을 그 순간을 넘기고 나서는 까맣게 잊어 버렸습니다. 전혀 개의치 않았습니다. 하지만 어떻게 되었을까요? 지금 저는 하느님의 자비 덕분에 여러분 앞에 서 있으며 그것을 증언하고 있지만, 저는 정말 벼락을 맞았고 벼락이 제 몸을 그대로 관통하면서 저를 사실상 두 동강으로 만들어 버렸습니다. 저를 완전히 태워 버린 것입니다.

저 세상에서 저는 가톨릭 신자라고 당당하게 밝혔지만, 제가 한 말을 한 번도 지키지 않으면서 하느님과의 약속을 늘 어기고, 부정직함을 감추기 위해 점점 하느님의 거룩한 이름을 오용했던 과거를 그 목소리는 적나라하게 제게 보여 주었습니다.

그런데도 주님께서는 제가 저지른 그 모든 사악하고 엄청난 죄과들을 참아내셨던 것입니다. 저는 그 사실을 깨닫고는 깊은 감동을 받았습니다. 동시에 모든 피조물이 간곡한 청원과 공경의 표시로 그분 앞에서 바닥에 엎드려 있는 모습을 보고 감명을 받았습니다.

또한 저는 하느님의 어머니이신 마리아께서 주님의 발치에서 깊은 흠숭을 표하며 간청하시는 모습도 보았습니다. 마리아께서는 저를 위해 기도하시며 그분께 애원하셨습니다. 그런데 비열하고 엄청난 죄인인 저는 늪의 구렁에서 주님께 따지고 있었습니다.

그리고 저는 위선과 조작을 통해 사들인 훌륭한 명성을 지니고서 너무나도 자주 주님을 거역하고 그분께 화를 냈으며, 그분을 모욕하고 그분을 저주하기까지 했는데 그것도 모두 보았습니다. 이 같은 제 과거를 똑바로 보게 되고 거기에 대해 명확하게 알게 되자, 저는 극도의 수치심을 느꼈고 참기 힘든 고통을 맛보았습니다.

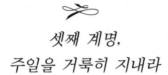

셋째 계명,
주일을 거룩히 지내라

십계명에 따라 저를 시험할 때, 주일과 축일을 거룩하게 지내야
한다는 계명에 다다른 순간에는 더더욱 참혹했습니다. 도저히
참을 수 없는 고통이 밀려들었습니다. 그 목소리는 아주 또렷하
고 냉랭하게 제게 말했습니다. 제가 몸을 치장하고 외모를 가꾸
는 데, 가식적인 아름다움을 지키는 데 매일 4-5시간을 허비했
다고…. 그러면서도 주님께 깊은 사랑과 감사를 드리거나 기도
하는 데는 매일 채 10분도 할애하지 않았다고….

그렇습니다. 묵주기도를 드리겠다고 약속했지만 저는 거의
대부분을 급하게 해치웠습니다. 그 약속에 스트레스를 느끼며
웅얼거렸을 뿐입니다. 대부분 이런 식으로 해치웠습니다. "이번
에도 시간이 제대로 맞아 떨어지게 해야지. 내가 좋아하는 텔레
비전 방송의 광고 시간에 묵주기도를 확실히 끝낼 수 있어."

이어서 그 목소리는 제가 주님께 얼마나 자주 배은망덕했는
지를 보여 주었습니다. 저를 창조하신 분이며 구원하신 분께 감
사해야겠다고 생각한 적이 한 번도 없었습니다.

게으른 탓에 미사에 참례하고 싶지 않을 때 제가 늘어놓던
궤변도 제 눈으로 확인할 수 있었습니다. 그때 전 이렇게 물었
습니다. "엄마, 하느님은 세상 어디에나 항상 현존하시는데, 왜

꼭 교회에 가서 하느님을 찾아야만 하죠?" 이런 질문을 하는 것은 제게 무척 간단하고 쉬운 일이었습니다.

그 목소리는 계속해서 저를 힐책했습니다. 매일같이 24시간 내내 주님께서 저를 기다리셨다고, 하루를 살아가면서 제가 주님을 전혀 생각하지 않았다고….

저는 기도하지 않았으며, 주일에 교회에 가서도 그분께 감사한 적이 한 번도 없었습니다. 적어도 주일만이라도 그분께 감사의 마음을 표하고, 그분께 사랑을 보여야 했습니다. 하지만 그렇게 하기에 저는 저 자신만으로도 무척 만족스러웠습니다. 저는 너무나 자신만만했고, 득의양양했습니다.

그런데 비참한 제 처지를 볼 때, 교회에 가는 것은 "영혼을 위한 식당에 가는 것"과 같은 것이었습니다. 즉 교회에 가지 않음으로 해서 제 영혼은 위축되었던 것입니다. 더 잘 표현하자면, 제 영혼은 영양분을 섭취하지 못해서 굶주려 죽었던 것입니다.

그럼에도 저는 이 헛된 육신을 가꾸고 꾸미기 위해 온통 몸에만 신경을 썼고, 세상에서 주어진 모든 시간을 거기에만 바쳤습니다. 저는 제 몸의 노예가 되어 버렸습니다. 그러면서 핵심적인 진리를 완전히 놓쳐 버렸는데, 즉 제게도 영혼이 있다는 사실이었습니다. 저는 영혼을 전혀 돌보지 않았습니다. 제 영혼은 "천애 고아"였습니다. 저는 한 번도 하느님의 말씀을 제대로 귀담아듣지 않았고 돌보지 않았습니다. 더욱이 저는, 성경을 규칙적으로 읽는 사람은 시간이 지나면 미치게 될 것이라는 말도 아무런 거리낌 없이 자주 내뱉곤 했습니다.

저는 성사생활도 전혀 하지 않았습니다. "낡아서 화석처럼 되어 버린 녀석들"로 여긴 이들에게 제 죄를 고백한다는 것은 있을 수 없는 일이었습니다. 저보다 더 나쁘고 중한 죄인에게 죄를 고백하다니 말이 안 되는 일이었습니다. 그리하여 고해성사를 받지 않는 나쁜 습성이 제 안에 자리 잡게 되었습니다.

사악한 거짓말쟁이이며 '분열을 일으키는 자' ('악마'를 뜻하는 희랍어 diabolos의 원래 의미)인 악마가 저를 고해성사로부터 멀어지게 했던 것입니다. 이렇게 사탄 혹은 악마는 제 영혼의 정화와 구원을 방해했습니다. 말하자면, 제가 죄를 지을 때마다 악마는 제 영혼의 하얀 조끼에 시커먼 암흑 왕국이 새겨진 도장을 찍었던 것입니다. 이처럼 제가 스스럼없이 지은 죄는 결코 그것으로 끝나지 않았습니다. 그것은 공짜가 아니었으며 제 영혼에 치명적인 결과를 가져왔습니다.

저는 첫영성체를 할 때를 제외하고는 한 번도 제대로 된 고해성사를 한 적이 없었습니다. 첫영성체 후 한 번도 고해성사를 하지 않았습니다. 또한 고해성사에 대한 제 견해가 옳다고 생각하는 사제도 없지 않았습니다. 즉 고해성사는 오늘날 결코 적절하지 않으며, 현대인들에게 더 이상 기대할 수 없다는 게 제 견해였습니다. 그 결과 저는 성체를 영할 때마다, 지극히 거룩한 성사 안의 우리 주 예수 그리스도를 불경하게 받아 모신 죄를 범하게 되었습니다.

저의 신성모독은 거기서 그치지 않았습니다. 저는 모든 것을 다 아는 양 교만하게도 이런 잘못된 생각을 곳곳에 다니며 퍼뜨리는 지경까지 이르렀습니다. "성체가 지극히 거룩하다고요? 살아 계신 전능하신 하느님이 직접 작은 빵조각, 즉 성체에 현존해 있다고 해서 무엇이 달라질까요? 신부들은 성체에 캐러멜 소스라도 발라서 적어도 밋밋하지 않게 맛이라도 좋게 했으면 좋겠어요."

저는 이렇게까지 어긋난 삶을 살아왔고, 그처럼 엄청난 신성모독을 퍼뜨리면서 창조 질서를 완전히 벗어난 삶을 살았습니다. 저는 창조주이신 하느님과의 관계를 파괴하고 완전히 무너뜨리는 지경까지 갔었습니다. 자기 영혼에게 생명의 양식을 주어서 참되게 성장해 나갈 수 있도록 하는 삶과는 거리가 멀었습니다.

그런데 아직까지 세례를 받지 않은 자녀를 둔 부모들도 이와 똑같은 책임을 져야 합니다. 세례성사는 "영혼의 모유"입니다. 그럼에도 오늘날 이 진리를 모르는 부모들은 쉽게 이렇게 말합니다. "세례를 받을지 안 받을지는 훗날 커서 아이들이 스스로 결정하도록 해야지." 하지만 태어난 아기에게 세례를 주지 않는 것은 "먹을지 말지는 훗날 커서 스스로 결정하도록 해야지." 와 같은 논리로 음식을 전혀 주지 않는 것과 같습니다.

아이들의 영혼에 유익한 양식을 주는 것은 주님 앞에서 부모인 우리가 져야 할 책임입니다. 성사생활을 하지 않는 것은 우리 영혼을 지탱할 수 있는 양식을 제공하지 않는 것과 같습니다. 그렇게 되면 그 영혼은 그냥 굶어 죽게 됩니다.

사제를 비난하고 놀린 죄

죄의 화룡점정畵龍點睛이라고 해야 할 것이 있는데, 사제들을 비판하고 헐뜯은 그 죄였습니다. 저편 세상에서의 시험 중에 이 부분이 제 머리를 얼마나 세게 강타했는지 겪어 보지 않으면 도저히 이해하지 못할 것입니다. 주님께서는 제게서 이 죄를 가장 무겁게 여기셨습니다.

저의 가족들은 늘 사제들에 관해 험담하는 나쁜 버릇을 가지고 있었습니다. 제가 기억할 수 있는 때부터, 제가 아주 어렸을 때부터, 우리 집에서는 사제들에 관해 비판이나 험담을 늘어놓는 것이 대수롭지 않은 일이었습니다. 또한 아버지부터 식구들 모두 그냥 쉽게 사제를 웃음거리로 다루곤 했습니다.

이런 악습을 아이들인 우리도 어렸을 때부터 대수롭지 않게 배워 버렸습니다. 거기에 대해 주님께서 슬프지만 엄한 목소리로 제게 문책하셨습니다. "내가 기름 부은 성직자들을 어떻게 그처럼 함부로 판단하고 중상모략하며 비난할 수 있단 말이냐?"

이어서 그분께서 말씀하셨습니다. **"그들은 피와 살을 가진 인간이다. 사제는 무엇보다도 신자 공동체를 통해서, 본당의 신자들을 통해 성화된다. 그리고 공동체는 기도와 존경과 배려와 서로간의 협조를 통해 하느님께 봉헌된 사람을 도울 수 있다. 그리고 사제가 죄에 빠지면, 너희들은 그를 질책하기보다는 오**

히려 너희 공동체가 그에게 존경과 배려와 협조를 보여 주지 않았고 그를 위해 기도해 주지 않아서 그렇게 되지는 않았는지 먼저 너희의 잘못을 따져 보아야 할 것이다."

이 말씀을 하신 후 주님께서는, 제가 사제를 비판하고 험담할 때마다 악령들이 어떻게 제게 들러붙었는지 보여 주셨습니다. 또한 제가 하느님께 봉헌된 이를 동성애자로 함부로 단정하면서 이 말이 마치 산불처럼 모든 신자공동체로 퍼져 나갔을 때 제가 얼마나 큰 죄를 저질렀는지를 보게 하셨습니다. 이런 일로 제가 얼마나 크고 중대한 해악을 끼쳤는지 여러분은 도무지 상상할 수 없을 것입니다.

여러분은 이 사실을 아시나요? 어느 사제가 무너지면 그가 속했던 공동체가 하느님 앞에서 그 책임을 져야 한다는 사실을 말입니다. 공동체는 사제의 성화에 책임이 있습니다. 악마는 가톨릭 신자를 증오하며, 사제들을 더더욱 증오합니다. 악마는 우리 교회를 증오합니다. 왜냐하면 사제를 통해 성변화가 이루어지기 때문입니다.

비록 사제도 한 인간이지만, 사제의 손은 하느님께 닿으며, 그는 천상의 하느님께서 지상으로 내려오시도록 청할 전권全權을 가지고 있습니다. 사제의 말에 의해 평범한 빵과 포도주가 하느님의 몸과 피로 바뀌는 성변화가 완성됩니다. 사제는 주님께서 기름 부은 사람이며, 하느님 아버지께로부터 권한을 받은 사람입니다.

사제가 성체를 거양하면 신자들이 주님의 현존에 대한 믿음과 흠숭의 의미로 그 앞에 무릎을 꿇는데, 악령조차도 그렇게 한다는 사실을 아십니까?

그런데 예전에 저는 미사에 참례했을 때 하느님께 일말의 존경심이나 경외심이라곤 전혀 갖지 않았으며, 미사에 전혀 주의를 기울이지 않은 채 껌을 씹기도 했습니다. 간혹 잠이 들기도 했으며, 주변을 이리저리 둘러보며 무슨 일이든 해도 되는 것처럼 행동했습니다. 매번 천상과 지상이 닿는 지극히 거룩한 성체 성사의 위대한 신비를 전혀 의식하지 못하고 그저 평범한 일로 여겼습니다. 그러면서도 배은망덕하기 짝이 없었던 것은, 하느님께 무언가를 청했을 때 즉각 들어 주시지 않으면 교만으로 가득 차서 불평만 해댔다는 점입니다.

주님께서 지나가실 때, 모든 생물들이 경배하며 엎드리는 장면은 매우 인상적이었습니다. 지극히 겸손하신 거룩한 동정녀께서 주님께 경배하며 주님 발치에 이마를 바닥에 닿을 때까지 숙이시며 저를 위해 기도하시는 모습도 저는 보았습니다. 동정 마리아께서는 저를 위해 천상으로 전해진 모든 기도를 그분께 바쳐 드리고 계셨습니다.

죄인인 제 마음은 돌처럼 굳어 버리고 무감각해져서 주님마저도 함부로 대했으며 주님을 이야깃거리로 삼으며 희희낙락했습니다. 주님은 여기 계신데 저는 저기 있으면서도 제 자신을 착하고 성스러운 사람으로 여겼습니다. 멋진 폐허, 그게 바로 저였습니다. 모래와 수렁 위에 쌓은 허공의 성城이 바로 저였습니다. 사랑으로 늘 제 뒤를 따라다니며 한없이 저를 걱정하셨던 주님을 퇴짜 놓고 차 버렸던 것입니다! 이런 죄인의 모습을 한 번 상상해 보십시오! 주님이 지나가실 때 악령조차도 주님 앞에 지극히 겸손한 자세로 엎드리는데 말입니다.

사제의 중요성

기름 부음 받은 사제의 손을 악마들이 얼마나 싫어하는지 아십니까? 악마는 천상으로부터 권한을 받은 그 손을 완강히 철저하게 증오합니다. 그리고 우리 가톨릭 신자들이 성체를 영하기 때문에 더더욱 우리를 혐오합니다. 왜냐하면 성체성사가 천국으로 가는 문을 열어 놓기 때문이며, 천국으로 가는 문이기 때문입니다. "내 살과 피를 먹고 마시는 사람은 영원한 생명을 얻을 것이다!" 주님의 거룩한 몸과 피를 먹고 마시는 성체성사 없이는 아무도 천상 행복을 누릴 수 없습니다.

주님께서는 죽음의 순간에 있는 사람들, 그가 신앙이 있든 없든 간에 그 사람에게 찾아 오십니다. 그 사람들 개개인의 마지막 순간에 주님께서 오셔서 그 앞에 당신을 드러내시며 사랑과 자비가 가득한 말씀을 하십니다. "나는 너의 주님이다!"

그리고 만일 그가 자신의 주님을 받아들이고 자신의 죄를 용서해 주십사 청하면, 어떻게 설명하기 어려운 일이, 놀라운 일이 일어납니다. 주님께서는 그 즉시 그 영혼을 거룩한 미사가 봉헌되고 있는 어떤 장소로 데리고 가시며, 그는 노자성체를 받아 모시게 됩니다.

그것은 신비의 영성체입니다. 왜냐하면 주님의 살과 피를 받아 모시는 사람만이 천국에 들어갈 수 있기 때문입니다. 우리 교회를 헐뜯는 사람들이 많지만, 이것은 하느님께서 우리 교회에 주신 신비스런 은총입니다. 가톨릭 교회를 통해서만 우리는 구원을 받습니다.

죽음을 맞는 그 사람들은 이제 구원을 받을 수 있습니다. 물론 연옥에 갈 수도 있겠지만, 구원을 받은 것입니다. 연옥에서 그들은 계속해서 성체의 은총을 떠올리며 견뎌낼 수 있습니다. 그렇기에 악마가 사제들을 그토록 증오하는 것입니다. 사제가 한 명이라도 있는 한, 빵과 포도주가 주님의 살과 피로 거룩하게 변하기 때문입니다.

그렇기에 우리는 사제들을 위해 아주 많이 기도해야만 합니다. 악령이 끊임없이 사제들과 싸워 그들을 무너뜨리려고 하기 때문입니다. 주님께서 이 모든 것을 제게 보여 주셨습니다.

예를 들면, 우리는 사제를 통해서만 고해성사의 풍성한 은총을 받을 수 있습니다. 사제를 통해서만 우리의 죄를 씻을 수 있습니다.

고해실을 어떻게 정의해야 할까요? 그것은 영혼을 위한 욕실입니다. 고해실에서 우리는 물과 비누가 아닌 예수 그리스도의 피로써 우리 영혼을 씻게 됩니다.

한 사람의 영혼이 그가 지은 죄로 인해 검고 더럽게 되었다면, 고해성사를 통해 그리스도의 피로 그 더러움을 깨끗하게 씻어낼 수 있습니다. 또한 사탄이 우리를 속박해 놓은 사슬을 고해성사를 통해 끊어 버릴 수 있습니다.

이런 것만 보아도 악마가 사제들을 가장 증오하고 그래서 사제들을 구렁에 빠뜨리려고 하는 것은 당연하지 않겠습니까? 만약 사제 그 자신이 대죄를 지은 죄인이라 할지라도 그가 주는 성사는 유효하며 죄를 사해 주는 권한도 여전히 유효합니다. 이것이 어떻게 가능한지를 주님께서 제게 보여 주셨습니다.

이 일은 그분의 상처에서 일어납니다. 이는 인간의 이해를 넘어서는 것이며, 영적 눈으로 볼 때 수긍할 수 있는 일입니다. 주님의 상처를 통해 영혼이 신적인 차원으로 오르는데, 신적인 자비까지, 신적인 자비의 정문까지 오릅니다. 그렇게 올라간 영혼은 십자가에 계시는 영원한 대사제이신 그분의 심장에서 흘러나오는 성혈을 통해 깨끗하게 씻깁니다.

저는 제 영혼이 죄 고백을 통해 어떻게 깨끗하게 되는지를 보았습니다. 주님께서는 제가 진정으로 뉘우치며 모든 죄를 고백하자 사탄이 저를 속박해 놓았던 사슬을 풀어 주셨습니다. 이것을 보면서 그동안 제가 고해성사를 멀리하며 살았던 것이 너무 안타까웠습니다.

하지만 이 모든 것이 사제를 통해서만 가능합니다. 마찬가지로 다른 성사들도 사제를 통해서 받습니다. 그렇기 때문에 하느님께서 사제들을 보호해 주시고 인도해 주시며, 사제들에게 길을 밝혀 주시라고 기도해야 할 의무가 우리에게 있습니다.

악마가 교회와 사제들을 증오하고 있다는 것을 이제 이해하실 수 있을 것입니다. 거룩한 사제가 많은 영혼을 사탄에게서 떼어 놓을 수 있는 능력을 가졌기 때문입니다.

넷째 계명,
부모에게 효도하여라

이제 '부모에게 효도하여라!'는 넷째 계명에 도달했습니다. 이 부분에서 주님께서는, 제가 얼마나 부모님께 배은망덕했는지 눈앞에 똑똑히 보여 주셨습니다. 제가 얼마나 자주 부모님들에 대해 심하게 욕하고 저주했는지….

친구들은 이미 받은 것을 제 부모님은 제게 해 주시지 않는다며 마구 비난하곤 했습니다. 그런데 부모님은 이런 저를 위해 얼마나 많은 희생을 하셨고, 얼마나 많은 노력을 하셨는지 저는 전혀 알지 못했으며, 제가 그런 딸이었다는 사실이 그 순간 명명백백하게 드러났습니다.

그렇습니다. 심지어 저는 제 어머니를 어머니라고 하기엔 너무 무식하고 별 볼일 없어 보인다는 이유로, 결코 저의 어머니가 될 수가 없다고 막무가내로 우기며 부모님께 소리치기도 했습니다.

제 입에서 이런 막말이 나왔다는 것에 저 자신도 놀랐습니다. 이런 결과는 제가 바로 하느님과 상관없이 산 여자였기 때문입니다. 이처럼 하느님 없이 산 여자는 자기 가까이에 있는 모든 것을 파괴하며 부정적인 영향을 낳았습니다. 하지만 가장 끔찍한 일은 이러면서도 저 자신을 특별한 사람이라고 여긴 것이며, 특히 착하고 거룩한 사람으로 간주한 것이었습니다.

주님께서는 제가 이 넷째 계명에서 아무것도 겁낼 필요가 없다고 생각하게 된 이유를 분명하게 보여 주셨습니다.

저는 부모님들께서 말년에 편찮으셨을 때 필요했던 의사들과 약값을 대어 주었기에 이 고비를 무사히 넘길 것이라고 여겨 안심했던 것입니다. 자식이라면 당연한 것을 근거로 저는 이 넷째 계명을 충분히 넘칠 만큼 지켰다고 생각했던 것입니다. 이는 제가 평소에 모든 것을 단지 돈과 경제의 원칙에 따라 평가하고 분류했던 생활철학과 직결되어 있습니다.

부모님한테도 마찬가지였습니다. 저는 돈을 수단으로 그분들을 제 목적과 이해관계를 위해 들러리로 세웠고 조종했던 것입니다. 부모와 자식의 관계가 아니라 저는 일종의 "여신"이었으며 그야말로 "유아독존"이었습니다. 이런 배금주의가 만든 상황에서 저는 부모님들을 건방지게 마음대로 조종할 수 있었습니다.

하느님의 자비 덕택으로 지난 생활에 대해 명백히 성찰할 수 있게 되었을 때 제가 얼마나 괴로웠는지, 뼛속까지 전해지는 고통으로 얼마나 아파했는지 도저히 상상할 수 없을 것입니다.

아버지가 당신의 딸인 제가 저지르는 만행으로 인해 큰 슬픔에 잠겨 목메어 흐느껴 우시는 것을 저는 옆에서 지켜보아야만 했습니다. 나약한 부분이 있었음에도 불구하고 그분은 좋은 아버지였던 것입니다.

아버지는 제가 열심히 일하고 노력하며 존경받는 삶을 살도록 인도하셨습니다. 제대로 일을 하고 자신의 직업에서 인정받는 사람만이 더 진보할 수 있고 사회에도 공헌할 수 있다고 하셨던 것입니다.

하지만 저를 잘 키우겠다는 노력에도 불구하고 아버지는 작지만 아주 본질적인 사실을 놓치셨습니다. 즉 제 영혼이 굶주리고 있다는 사실을 깨닫지 못했으며, 딸에게 모범을 보여 주기 위해 아버지가 먼저 복음을 받아들이고 신앙의 삶을 살아야 한다는 사명을 미처 깨닫지 못했다는 사실입니다.

이런 관점에서 볼 때 아버지의 삶은 완전히 실패했고, 이런 본질적인 부분이 빠졌기에 당신 딸의 삶이 망가져 가고 점점 수렁 속으로 빠져들어 가는 것을 전혀 알아채지 못하셨습니다.

아버지가 뭇 여성들의 환대를 받으며 마치 영웅이라도 된 듯 여성들을 대하는 것을 볼 때마다 저는 무척 괴로웠습니다. 아버지는 어머니를 비롯해 모든 사람들에게 당신을 "마초"와 같은 사람이라고 떠벌릴 수 있을 때면 몹시도 좋아했습니다. 아버지는 한꺼번에 많은 여자들을 거느리며 그들을 모두 다스리고 만족시킬 수 있었습니다.

게다가 아버지는 과도할 정도로 술을 많이 마셨고 담배도 지나칠 정도로 피웠습니다. 하지만 아버지는 이런 모든 악습과 악행을 오히려 자랑했고 그것에 자부심을 갖기도 했습니다. 왜냐하면 아버지는, 그것을 악행이 아니라 오히려 자신의 존재감을 높이는 장점으로 여겼기 때문입니다.

그래서 저는 한참 어렸을 때부터, 아버지가 다른 여자들에 대한 이야기나 그들과의 사이에 있었던 사실들을 떠벌리기 시작할 때면 말없이 듣던 어머니가 눈물을 펑펑 흘리며 앉아 계시던 모습을 보아왔습니다.

그런 일을 점점 더 자주 겪으면서 저는 더 큰 분노, 화, 부조화에 사로잡혔습니다. 그런데 지금 와서 과거의 제 삶을 다시 보니, 어릴 때부터 겪게 된 이런 주체할 수 없었던 부정적인 감정과 적대감이 저를 천천히 "영적인 죽음"으로 몰아갔고, 급기야는 제 영혼을 말라죽게 했다는 사실을 깨닫게 되었습니다.

아버지가 어머니를 많은 사람들이 보는 앞에서 보잘것없는 사람으로 천시하고 모욕을 주는 것을 함께 지켜볼 때면 제 안에서 엄청난 분노가 치밀어 올랐습니다. 그런데도 오히려 저는 저 자신을 변호하면서 실망스럽게도 어머니에게 화살을 돌렸습니다. 예를 들면, 어머니께 이렇게 쏘아댔습니다. "난 결코 엄마처럼 살지 않을 거야. 절대로 내 남편이 내게 그렇게 하도록 내버려두지 않을 거야. 엄마처럼 그냥 모든 것을 내버려두는 여자들이 있기 때문에 우리 사회에서 여자들이 하찮은 취급을 받고 그렇게 모욕을 당하는 거야. 자신의 의지라곤 없이 남편의 뜻에 무조건 순종하는 여자들은 무시당하는 게 당연해. 무식하고 자존심이라곤 전혀 없으니 당연하지. 자신을 유린하고 쓰레기처럼 취급하는 남자를 그대로 용납하는 여자들도 마찬가지야."

그리고 제가 좀더 나이가 들었을 때 아버지에게는 이렇게 선언했습니다. "똑똑히 듣고 새겨 두세요. 아빠, 아빠가 엄마한테 늘 그러는 것처럼 나를 함부로 대하고 모욕하는 남자는 결코 용납하지 않을 거예요. 만일 미래의 내 남편이 내게 그렇게 불성실하고 나를 속이는 지경까지 간다면, 난 그에게 복수하고 그를 시궁창으로 처넣어 버릴 거예요. 제발 아빠, 나한테는 그렇게 하지 말아요!"

그러자 아버지는 저를 툭툭 치며 이렇게 소리를 질렀습니다. "뭘 어떻게 하겠다고? 네가 감히 어쩐다고? 넌 나를 어떻게 보고 그런 식으로 이야기하는 거니?"

제 아버지가 얼마나 난폭한 폭군이었는지 여러분은 상상할 수 없을 것입니다. 그때 저는 입을 다물고 있을 수 없어서 대꾸했습니다. "아빠가 나를 때리며 죽인다고 할지언정, 맹세코 내게는 그런 일이 일어나지 못하도록 할 거예요. 결혼한 후 내 남편이 내게 부정한 짓을 한다면 가장 잔인한 방법으로 그에게 복수해서, 남자가 여자를 쓰레기처럼 취급하고 모욕하고 젖은 천 조각을 다루듯 유린할 경우 여자들이 무슨 일을 할 수 있는지 아빠 같은 남자들이 깨닫게 해 줄 거예요."

저는 이런 방식으로 모든 화를 풀었고 분노를 삭였지만 이런 분노가 내내 제 안에 자리 잡아 제 존재를 뒤흔들어 놓았습니다. 제 스스로 정신과 성격을 망친 것입니다.

제가 어른이 되어 자립하게 되었을 때, 물론 돈도 넉넉히 가지게 되자 저는 어머니에게 이렇게 말하며 영향을 미치기 시작했습니다. "엄마, 아빠와 헤어져요. 이혼하세요!"

제가 아버지를 매우 존경하고 좋아했는데도 불구하고 이렇게 했던 것입니다. 저는 계속해서 어머니를 설득했습니다. "아버지와 같은 사람을 엄마가 그냥 참아내는 것은 있을 수 없는 일이에요! 여성으로서 자존감을 좀 느껴 봐요! 엄마의 품위를 다시 찾아서, 엄마는 하찮은 걸레가 아니라 가치 있고 특별한 사람이라는 것을 아빠한테 보여줘 봐요!"

저는 이와 비슷한 말을 엄마에게 계속적으로 했습니다. 상상이 됩니까? 저는 부모님을 갈라 놓기 위해, 이혼시키기 위해 온갖 노력을 기울였습니다. 하지만 제가 그럴 때마다 어머니는 이렇게 대답했습니다.

"그건 안 돼. 나는 이혼하지 않을 거다. 내가 아버지의 그런 행동에서 치욕감이나 고통을 느끼지 않는다고 생각하지 마라. 네가 느끼는 만큼 나 역시 무척 괴롭단다. 하지만 너희들이 있기에 희생으로 여기고 참아내는 거란다. 너희 일곱 명 때문이지. 너희는 일곱 명이지만 나는 혼자이니 일곱 명이 고통을 겪는 것보다는 한 사람이 시달리는 게 낫단다. 그리고 네 아빠는 그래도 좋은 아버지이니, 내가 그냥 뛰쳐나가 너희들을 아버지 없이 키울 수는 없단다. 그리고 네게 물어보마. 만일 내가 아빠랑 헤어지면, 아빠가 회개해서 영혼이 구원될 수 있도록 누가 기도해 주겠니? 난 네 아빠가 내게 주는 고통과 치욕을 십자가에 매달리신 우리 주 예수 그리스도의 말할 수 없이 큰 고통에 봉헌한단다. 매일 주님께 이렇게 기도하고 있단다. '제가 겪고 참아내야만 하는 것은 주님께서 저희를 위해 십자가에서 겪으신 고통에 비하면 아무것도 아닙니다. 제가 겪는 고통에 의미가 더해지도록 주님께 청하오니, 제 고통을 주님의 고통에 합하여 봉헌할 수 있도록 해 주소서. 저의 미약한 고통으로 제 남편과 아이들이 회개하여 영원한 지옥 불에서 구원받을 수 있는 은총을 얻도록 해 주소서.'"

당시 저로서는 도저히 이해할 수 없고 어리석기 짝이 없는 말에 고개를 내저을 뿐이었습니다. 제가 처해 있는 영적 수준을 훨씬 뛰어넘는 그런 차원이었습니다. 항상 이분법적인 사고방식과 행동방식에 의해 생활해 왔던 제게는 너무 낯선 것이었습니다. 그러므로 어머니의 이런 말을 도저히 받아들일 수 없었습니다. 오히려 어머니의 말은 저를 더 자극해서 제 화를 돋울 뿐이었습니다.

그 결과, 제 인생이 송두리째 바뀌었습니다. 저는 매우 저돌적이고 반항적인 사람이 되었습니다. 이런 반항은 제가 여성의 인권과 해방을 위해 헌신하기 시작하면서 처음 드러났습니다. 저는 단순한 협조자가 아닌 콜롬비아의 여성 인권 투쟁의 최선봉에 서서 싸웠던 것입니다.

저는, 낙태는 자신의 몸에 관한 사항을 직접 결정할 수 있는 여성의 권리에 속하는 것이라고 옹호했습니다. 또한 여성의 독립이나 독신으로서의 권리 보장을 부르짖었으며, 동거생활의 합법화와 이혼 정책에 관해 홍보하기 시작했습니다.

더욱이 저는 "탈리온 법칙"(유대인의 동해同害 복수법, 즉 눈에는 눈, 이에는 이로 응징해야 한다는 법)도 옹호했습니다. 말하자면, 여성도 남편이 자신에게 한 것과 똑같이 남편에게 되갚아 주어야 한다고 주장했습니다. 외도하는 남편에게는 외도로 갚되, 가능하면 남편의 가장 친한 친구와 바람을 피우라고 부추겼습니다.

비록 저는 남편과의 결혼생활 중 육체적 정조를 지켰지만, 제가 했던 사악한 충고로 많은 사람들에게 말할 수 없이 큰 해악을 끼쳤던 것은 정말 유감스런 일입니다!

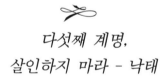

다섯째 계명,
살인하지 마라 - 낙태

저의 "생명의 책"에서 하느님의 다섯째 계명인 "살인하지 마라."는 항목에 이르렀을 때, '아, 이 계명은 나에게 해당되는 것이 없구나!' 라고 생각했습니다. 저는 누구를 죽인 일이 없기 때문이었습니다.

하지만 정말 놀랍게도, 주님께서는 제가 전혀 예상하지 못한 말씀으로 제게 훈계하셨습니다. 그분은 정말 자세하게 제가 얼마나 혐오스럽고 잔혹한 살인자였는지를 보여 주셨습니다. 게다가 제가 저지른 살인은 주님의 눈에는 가장 끔찍한 것으로 간주되는 살인죄에 속했습니다. 즉 "태어나지 않은 아이들"을 낙태시킨 죄였습니다.

하루는 제 친구인 에스텔라가 이런 말을 했습니다. "잘 들어 봐! 넌 이제 열세 살인데, 아직 처녀지?"

이 말에 저는 무슨 뚱딴지 같은 소린가 하며 그녀를 쳐다봤습니다. '얘가 나한테 뭘 말하려는 걸까?'

어머니는 순결의 중요성을 늘 강조하셨습니다. 주님께서 새색시에게 주신 선물이라고 말씀하셨던 것이죠. 하지만 제 친구는 아주 자랑스런 말투로 이렇게 말했습니다. "내가 첫 월경을 하자마자 우리 엄마가 나를 산부인과 의사에게 데려갔었어. 그 이후로 난 피임약을 계속 먹고 있어."

그 당시 저는 그 말을 이해하지 못했습니다. 그러자 친구는, 만약 이성과 성관계를 하더라도 임신되지 않도록 방지하는 약이라고 설명해 주었습니다. 그리고는 자신이 이미 몇 명의 남자들과 잠자리를 같이했다는 말을 덧붙였습니다. 제가 깜짝 놀랄 정도로 그 친구는 정말 많은 남자들과 이미 성관계를 했습니다. 친구는 그것을 자랑스럽게 얘기하면서 "난 네가 아직까지 아무것도 모르고 있다는 사실을 다 알고 있었지."라고 했습니다. 더욱이 내가 자신이 경험한 것들을 배울 수 있는 장소로 데려다 주겠다는 말까지 했습니다.

저는 친구가 저를 어디로 데리고 갈지 알고 있었기에 잔뜩 걱정했습니다. 새로운 세계, 완전한 미지의 세계가 제 앞에 펼쳐졌습니다. 친구는 저를 시내에 있는 영화관에 데리고 갔습니다. 함께 포르노 영화를 보기 위해서였습니다. 그때 막 열세 살이 된 소녀가 얼마나 놀랐겠는지 상상이 되시나요?

그 당시엔 텔레비전이 없었습니다. 그랬으니 제가 어땠을까요? 저는 너무 놀랐고, 너무 역겨워 거의 초죽음이 되었습니다. 지옥에 있는 것처럼 느껴졌습니다. 뛰쳐나가고 싶었지만, 친구 앞이라 부끄러워서 그대로 있었습니다. 하지만 영화를 보는 내내 그곳에서 벗어나고 싶다는 생각밖에 없었고, 정말 혼란스러웠습니다.

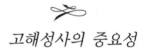

고해성사의 중요성

그날 저는 어머니와 함께 미사에 참례했습니다. 너무 큰 죄를 지은 것 같아 고해성사를 받았습니다. 당신 딸에게 어떤 일이 닥치고 있는지를 전혀 모르시는 어머니는 제대 앞에 무릎을 꿇고 기도하고 계셨습니다.

평소에 저는 고해실에서 일상적인 것들을, 말하자면, 숙제를 하지 않았고, 학교 공부를 등한시했으며, 어른들께 순종하지 않았다는 등의 내용을 고백했습니다. 그게 당시에 대략적인 저의 죄였습니다. 저는 늘 같은 신부님께 고백을 했기 때문에, 그 신부님은 제 죄를 이미 대강 외우실 정도였습니다.

하지만 그날 저는 영화관에 가기 위해 어머니 몰래 집에서 뛰어나왔다는 사실도 고백했습니다. 그 신부님은 깜짝 놀라며 거의 소리치듯 되물었습니다. "뭐, 뛰어나왔다고? 어디를 갔다고?"

신부님의 이런 반응에 저는 몹시 놀라서, 어머니가 뭔가를 들으셨을까 봐 노심초사하며 어머니가 계시는 건너편을 힐끔 쳐다보았습니다. 하지만 어머니는 조용히 그 자리에 무릎을 꿇고 기도하고 계시기에 '다행히 아무것도 듣지 못했구나.' 라고 안도했습니다. 어머니가 무엇이든 들었다는 것은 상상하기도 싫었습니다.

저는 고해성사를 받는 중 자리에서 일어났습니다. 신부님에게 무척 화가 났습니다. 제가 어떤 영화를 보았는지는 언급하지도 않았고 다만 극장에 갔었다는 사실만 말했는데도 이렇게 나오는데 만일 모든 사실을 안다면 어떤 반응을 보이실까? 아마도 저를 때리실 것 같았습니다.

그 순간부터 사탄이 실제로 제 안으로 들어왔습니다. 왜냐하면 그때 이후로 더 이상 제대로 된 고백을 하지 않았기 때문입니다. 그 순간부터 무엇을 고백하고 고백하지 않을지 제가 골랐던 것입니다. 그때부터 저의 신성모독적인 고해성사(모고해)가 시작되었고, 제대로 고해성사를 받지 않았으면서도 영성체를

하기 시작했던 것입니다. 즉 모령성체를 했습니다.

그 후 제 삶이 얼마나 비참하게 몰락했는지, 영적인 죽음의 과정이 얼마나 심해졌는지 주님께서 보여 주셨습니다. 제 영혼과 육신의 삶이 무너지면서 저는 더 이상 악마를 믿지 않게 되었고, 전혀 아무것도 믿지 않게 되었습니다. 그리고 제 죄를 선행으로 받아들였습니다.

주님께서는, 제가 갓난아이였을 때 주님의 손에 바쳐진 것을, 제가 주님과 맺은 내적인 관계가 어떤 것인지를, 하지만 죄로 인해 주님과 주님 손길의 인도로부터 어떻게 멀어지게 되었는지를 낱낱이 보여 주셨습니다. 또한 주님의 몸과 피를 불경하게 받아 모시는 사람은 지독한 저주를 받게 된다고 하셨습니다.

저는 그동안 저주를 먹고 마셨던 것입니다. 저는 제 "생명의 책"에서, 제가 열두 살이 될 때까지 하느님을 믿었고, 어머니와 함께 기도하러 다녔기에 악마가 얼마나 절망했는지를 보았습니다. 악마는 그 사실에 몹시 화가 나 있었습니다.

그 후 죄 많은 삶이 시작되었을 때, 마음의 평화가 어떻게 사라지게 되었는지를 제가 똑똑히 깨닫도록 주님께서 보여 주셨습니다. 그 당시, 제가 고해성사를 받으러 간다고 하면 친구들은 이렇게 반응했습니다. "뭐라고? 고해성사를 받으러 간다고? 정말 미쳤구나. 정말 유행에 뒤떨어져도 유분수지. 너보다 더 죄 많은 사제들한테 죄를 고백하다니!"

친구들 중 고해성사를 받는 사람은 아무도 없었습니다. 그래서 마음의 갈등이 심했습니다. 친구들의 생각과 어머니가 말한 것과 제 양심에 그때까지 남아 있던 것 사이에서 갈등이 심했습니다. 하지만 시간이 지나면서 그 무게의 추가 친구들에게로 기울었습니다. 친구들이 이긴 것입니다. 그래서 저는 더 이상 고해성사를 받지 않기로 결정했습니다. 세상의 재미, 특히 육적 관계를 증오하는 그런 구닥다리 사제들에게서 더 이상 고해성사를 받고 싶지 않았던 것입니다. 영화관에 갔다는 것만으로도 저를 경멸했으니 말입니다.

바로 이 부분에서 여러분은 사탄의 교활함을 확인할 수 있을 것입니다. 그때 제가 겨우 열세 살이 되었을 때인데 그처럼 어린 나이에 벌써 고해성사로부터 멀어지도록 만든 것은 사탄의 짓이었습니다. 사탄은 정말 간교했습니다. 사탄은 우리에게 끊임없이 잘못된 생각을 심어 주고 있다는 것을 아셔야 합니다.

"제 영혼은 이미 열세 살 때부터 송장에 불과했습니다." 하지만 영적 세계에 무지했던 저로서는 친구들의 작은 동아리에 속해 있는 것이 그보다 더 중요했습니다. 자신의 부모보다 훨씬 더 많은 것을 알고 있다고 생각하던 영리하고 예쁜 소녀들 그룹의 일원이 되는 것이 더 자랑스러웠습니다.

열세 살인 우리는 모든 것을 다 알고 있다고 생각했고, 하느님에 대해서 이야기하는 사람들은 모두 낡아빠졌거나 미친 사람이라고 여겼습니다. 최신 유행을 따르는 것보다 우리에게 유익하고 즐거운 것은 없다고 생각했던 것입니다.

제가 지옥에 서 있었을 그때, 갑자기 주님의 목소리를 들을 수 있었고, 그러자 모든 악령들이 도망쳤다는 사실을 여러분께 말씀드릴 차례입니다.

주님의 목소리를 듣자마자 악령들 모두 먼지 나도록 내뺐지만, 한 악령은 남아 있었습니다. 그 악령은 남아 있어도 좋다는 주님의 허락을 받았던 것입니다. 그 거대한 악령이 끔찍한 목소리로 소리쳤습니다. "이 여자는 제 것입니다! 제 소유물입니다! 제 것입니다! 이 여자는 영원히 제 소유물입니다!"

그 악령은 그동안 제 안에 자리 잡고서, 제가 죄를 짓도록 삶을 조종했던 악령 떼거지의 우두머리였기 때문에 남아 있을 수 있었습니다. 악령들은 매우 간교하게 저의 약점을 활용했습니다. 바로 그 악령이 저를 고해성사로부터 멀어지게 했던 것입니다. 그렇기 때문에 주님께서는 그 악령이 지금 거기 남도록 하신 것이고, 그 악령은 자신의 노획물을 마지막 순간에 주님께 빼앗길까 봐 두려워서 그렇게 날뛰며 소리쳤던 것입니다.

그 악령은 끔찍스러울 정도로 소리치며 저를 비난했습니다. 제가 영원한 죽음을 초래하는 죄를 지은 채로 죽었기에 그 악령이 제 안에 남아 있을 수 있었습니다. 열세 살 때부터 제대로 고해성사를 받지 않았고 그 이전에도 성사의 효력이 없는 고백을 여러 차례 했기 때문입니다.

그래서 저는 그 악령의 소유물이 되었기 때문에 제가 시험 치르는 것을 그 악령이 옆에서 지켜봐도 되었던 것입니다. 저의 모든 죄가 드러나게 되었을 때, 제가 받은 충격이 얼마나 컸을까요? 정말 죄가 컸습니다. 그 모든 게 사탄에게는 기쁜 일이었고, 조소에 가득 찬 비난을 받을 수밖에 없는 일이었습니다. 저를 자신의 소유물이라고 하며 울부짖을 때마다 정말 견디기 힘들었습니다. 다시 생각하기 싫을 정도로 끔찍했습니다.

악마가 저를 고해성사로부터 떼어 놓았고, 그리하여 예수님을 통해 제 영혼이 치유를 받고 죄를 씻어낼 수 있는 기회를 빼앗아 갔습니다. 그동안 제가 지은 모든 죄는 공짜가 아니었으며 그 대가를 치러야 했습니다. 죄는 악마의 재산이기에 우리는 값을 치러야만 합니다. 죄는 악마가 자신의 낙인을 그 영혼에 불로 찍어 놓은 것과 같은 형태였습니다. 제가 처음 잉태되었을 그때 그토록 아름다웠고 빛이 통과할 만큼 투명했던 영혼이 빛이 사라지면서 칠흑처럼 어둡게 되어 버렸던 것입니다. 정말 끔찍한 암흑처럼 말입니다.

고해성사를 멀리한 채 저는 계속해서 모령성체를 했고, 고해성사를 받을 때조차도 제대로 된 고해성사를 한 적이 없었습니다.

고해성사를 받기 전에 우리는 성령과 우리 각자의 수호천사가 우리를 깨우쳐 주시고, 암흑 속에 있는 우리의 정신에 빛을 밝혀 주시도록 기도해야만 합니다. 왜냐하면 악마를 기쁘게 하는 것들 중 하나가 우리의 정신이 어두워져서 어떤 것도 죄가 아니니 괜찮다고 생각하는 것이며, 우리 자신보다 죄 많은 사제에게 고백을 할 필요가 없다고 생각하는 것이고, 고해성사 따위는 이제 구닥다리라고 생각하는 것이기 때문입니다. 그러기에 고해성사를 받지 않는 것이 분명 더 마음이 편했습니다.

친구 에스텔라의 임신과 낙태

제가 열세 살이 되었을 때, 제 친구 에스텔라가 임신을 했습니다. 그녀가 임산부라는 사실을 제게 말했을 때, 제가 그녀에게 물었습니다. "근데 너 피임약을 먹었잖아?"

그녀가 대답했습니다. "그래. 그런데 소용이 없었어."

"그래서 이제 넌 어떻게 할 건데? 애기 아빠가 누구니?"

"모르겠어."

나들이 갔을 때였는지, 아니면 축제 때였었는지 모를 뿐만 아니라 자신의 약혼자인지 아닌지도 그녀는 모를 정도였습니다. 그러면서 그녀가 제게 말했습니다. "그냥 그 사람(약혼자) 아이라고 말할 거야."

그리고 5월에 제 친구 에스텔라와 그녀의 가족들이 휴가를 떠났는데 그때 이미 그녀는 임신 5개월째였습니다. 하지만 그녀가 돌아왔을 때, 저는 깜짝 놀랐습니다. 임산부 모습이 아니었기 때문입니다. 배가 부른 임산부의 모습이 아니라 마치 시체마냥 말라 있었습니다. 그녀는 너무 창백해 보였으며, 그렇게도 명랑하고 외향적이며 생기발랄했던 소녀의 모습을 더 이상 찾을 수 없었습니다. 그녀는 이제 예전의 제 친구 에스텔라가 아니었습니다.

잘 아는 사실이겠지만, 십대 소녀들 중 미사에 참례하기 좋아하는 사람은 아무도 없습니다. 하지만 당시 우리가 다니던 수녀원 부설 학교에서는 미사에 참례하는 것이 필수적인 일이었습니다. 우리는 수녀님들과 함께 미사에 참례해야만 했습니다. 선택의 여지가 없었습니다. 그 당시 신부님은 이미 나이가 드셨기에, 미사를 끝내기까지 점점 더 시간이 길어졌습니다. 우리에게는 미사를 봉헌하는 시간이 얼마나 지루했던지 마치 영원처럼 길게 느껴졌습니다. 그러니 미사 제대에서 일어나는 일에 대해선 아무런 주의를 기울이지 않은 채 미사 시간 내내 놀고, 수다 떨고, 웃기만 했습니다.

그러던 어느 날 멋지게 생긴 젊은 신부님이 우리 학교에 부임해 오셨습니다. '저렇게 멋지게 생긴 남자가 신부가 되다니 너무 아깝네.' 라고 생각할 정도였습니다.

그때부터는 그 신부님을 상대로 일을 꾸미며 미사 시간을 보냈습니다. 그 대표적인 예가 이것입니다.

우리는 과연 우리 중 누가 그 젊고 잘생긴 신부님을 유혹할 수 있을까 궁금해 하며 일을 꾸몄습니다. 상상해 보십시오! 악마의 그 같은 추악한 행위가 젊고 순수한 사람을 어떻게 궁지로 내모는지를 말입니다.

학교의 미사 중 수녀님들이 먼저 영성체를 한 후 우리 차례가 되었습니다. 비록 우리 중 아무도 고해성사를 받지 않았지만 말입니다. 우리는 누가 신부님을 유혹하는 데 성공할지 내기를 걸었습니다.

그래서 우리는 성체를 영하러 나갈 때 가슴이 보이도록 블라 우스를 열어 두기로 결정했습니다. 그리고 신부님이 성체를 건네주실 때 손이 떨리는 바로 그 사람이 신부님의 눈길을 끈 가장 멋진 가슴을 지닌 것이라고 정했습니다. 아, 우리 영혼이 얼마나 사악하고 못된 생각을 지녔었는지…. 우리는 순진하게, 이 모든 것을 단지 재밌는 장난으로 여겼습니다. 그런 것들이 우리 자신을 어디까지 타락시켰는지….

하지만 제 친구 에스텔라가 방학을 끝내고 돌아왔을 때, 그녀는 더 이상 이런 장난에 끼어들지 않았습니다. 그 이전엔 일을 벌이기 좋아하고 쾌활한 아이였는데 말입니다. 그녀의 얼굴에는 그늘이 서려 있었습니다. 무슨 일이 있었는지 제게 아무런 이야기도 하려 들지 않았습니다.

하지만 제가 그 친구의 집에 놀러갔을 때, 그녀는 낙태 수술 자국을 보여 주었습니다. "내가 임신했다는 것을 엄마가 알고는 그 즉시 내 손을 잡고 자동차에 태워서는 산부인과 의사한테로 데리고 갔어. 그리고는 엄마가 의사 선생님에게 말했어. '우리 애가 임신했어요. 선생님이 원하는 대로 비용은 청구하세요. 대신 가능한 한 빨리 애를 수술해서 이 문제를 해결해 주시고 세상에 소문이 나지 않게 해 주세요.'"

제 친구는 이야기를 마친 후 옷장을 열어서 유리병 하나를 보여 주었습니다. 그 안에는 낙태된 태아가 에탄올에 담겨 있었습니다. 그녀의 아이였습니다.

이미 사람의 꼴을 갖추고 있었고, 실험실의 개구리마냥 그 유리병에 보존되어 있었습니다. 그 친구의 어머니는 딸이 자신의 잘못된 행동을 늘 기억하도록 하기 위해 그렇게 했던 것입니다. 그리고 그 유리병의 뚜껑에는 피임약 통이 놓여 있었습니다. 다시는 약 먹는 것을 잊지 않도록 하기 위해서였지요. 잔인하다고 해야 할지, 끔찍하다고 해야 할지…. 아무튼 저는 그날 일종의 충격을 받아서인지 시간이 흐른 후에도 그것에 대한 잔상을 지울 수 없었습니다.

죄가 한 사람을 어떻게, 얼마나 병들게 하는지 보십시오. 정신적으로 눈이 먼 엄마가 자신의 딸을 의사에게 데리고 가서는 원치 않은 생명이라며 한순간에 지워 버리는 것을 보십시오. 그리고 피임약 먹는 것을 상기시키기 위해 낙태시킨 태아를 매일 눈앞에 들이대는 그 잔인함을 보십시오. 매번 옷장을 열 때마다 자신의 아이를 쳐다보며 약 먹는 것을 잊지 않도록 하기 위해서 말입니다.

이것은 정말이지 정신과 영혼이 병들지 않고는 할 수 없는 행동이며, 그야말로 악마의 사주에서 나온 행동입니다. 만일 우리가 죄를 지으면서 악마에게 자기 영혼의 문을 열어 놓고는, 가톨릭 사제가 주는 고해성사를 통해 그 죄를 씻어 내지 않는다면 악마는 반드시 이런 짓을 합니다.

제가 친구에게, 낙태 시술을 받을 때 마음이 아프지 않았는지 고통스럽지 않았는지 물었을 때, 그녀는 반어조로 대답했습니다. "내가 왜 슬프게 지내야 하지? 그 정도의 아픔을 참아 내는 것은 내가 평생 그 아이를 데리고 헤쳐 나가야 하는 것에 비하면 결코 고통이라고 할 것도 없어! 그것으로 문제가 그냥 간단히 해결됐잖아!"

하지만 그것은 거짓말이었습니다. 그녀의 진심이 아니었습니다. 그 친구는 예전의 모습으로 돌아오지 않았던 것입니다. 얼마 지나지 않아 그녀는 심한 우울증에 걸렸습니다. 그녀는 환각제를 복용하기 시작했습니다. 제가 그녀의 가장 친한 친구였기에, 그녀는 제게도 한번 시음해 보라며 권했습니다. 하지만 저는 무서워서 그러지 못했습니다. 그 약을 먹게 되면 편안한 느낌이 들고, 마치 구름 속에 있는 듯 떠다니는 느낌이 든다고 말하기에 솔깃하기도 했지만 그녀의 제안을 거절했습니다. 그럼에도 그녀는 자신이 느끼는 그것을 체험해 보도록 열심히 설명하며 권했습니다.

그렇습니다. 해보고 싶었지만, 할 수가 없었습니다. 두려웠습니다. 그래서 그럴 수 없다고 말했습니다. 만일 마약을 하게 되면 몸에 냄새가 나게 될 것이고, 그리하여 어머니가 사실을 알게 되면 저를 죽일지도 모를 일이라고 했습니다. 어머니는 매우 예민한 후각을 가지고 있기에, 만일 알게 되면 저를 죽일 것 같았습니다. 지금 와서 보면, 제가 마약을 안 한 것은 제 수호천사와 어머니의 기도 덕분입니다.

주님께서 제 "생명의 책"에서 보여 주신 바에 따르면, 제가 마약을 하지 않은 것은 어머니가 무서워서가 아니라 어머니의 기도 때문에 그것을 하지 않도록 주님께서 제게 은총을 내려 주신 것이었습니다. 제가 그 나락에 빠지지 않도록 저를 지켜 준 것은 어머니의 묵주기도였습니다.

하지만 제 친구는 제가 그녀와 함께하지 않는다는 이유로 저를 비난하고 따분한 사람이라고 소리치며 저와 언쟁을 벌였습니다. 하지만 하는 수 없었습니다. 친구에게 동조할 수가 없었습니다. 딸을 위해 하느님께 매달리며 기도했던 그런 어머니가 계셨기에, 제가 받을 수 있었던 큰 은총이었습니다. 이처럼 기도는 정말 중요합니다.

16세에 순결을 잃었습니다

불행하게도 저는 16세 때 첫 약혼자를 만났습니다. 그러자 친구들의 압력이 다시 거세졌습니다. 그때 아직 처녀였던 저는 그들 가운데 낀 악당 취급을 당했습니다. 그런데 약혼자가 생겼으니 잘됐다며 저를 다시 몰아 붙였습니다. 그때까지는 결혼 상대자가 없으니 하는 수 없다는 변명으로 버텼지만 더 이상 피할 수가 없게 되었습니다.

어느 날 제가 친구 에스텔라에게 이렇게 물었습니다. "만일 나도 너처럼 임신을 하게 되면 어쩌지?"

그녀가 말했습니다. "괜찮아. 그런 일은 생기지 않을 거야. 요즘 다른 방법이 생겼거든. 콘돔 말이야."

자기 때는 약만 있었지만, 지금은 아무런 문제가 없다는 얘기였습니다. 그러면서 피임약 다섯 알을 줄 테니 안전하게 하기 위해 한번에 다 먹으라는 말도 했습니다. 그리고 콘돔을 사용해야 하며, 그러면 아무 일도 생기지 않을 거라고 했습니다.

이런 황당무계한 약속을 지켜야 한다는 사실에 기분이 좋지 않았지만 친구들과의 사이가 나빠질까 봐 더 신경이 쓰였습니다.

마침내 일이 벌어졌을 때, 순결을 잃어버린 처녀는 그 자신을 잃게 된다는 어머니의 이야기가 옳았음을 알게 되었습니다. 제 안에서 무언가 사라져 버렸다는 공허함이 저를 압도했습니다. 마치 다시 되찾을 수 없는, 다시 만들어질 수 없는 것을 잃어버린 것처럼 말입니다. 친구들이 그토록 떠벌렸던 "흥분된 경험"을 통해 제게 남은 것은 단지 실망, 후회, 엄청난 슬픔뿐이었습니다.

섹스는 무조건 좋은 것이라고 하는 이유를 알 수 없었습니다. 왜 그렇게도 젊은이들이 그것에 열광하는지 알 수 없었습니다. 그때 제 느낌으로는 그렇게 좋은 것이 아니었습니다.

우리나라 콜롬비아에서는 콘돔의 안전성을 선전하는 TV 광고를 볼 수 있습니다. 또한 오로지 기분을 만족시키고 이기심을 충족시키며, 힘을 행사하고, 지루한 시간을 쫓기 위해서 성性을 이용하는 TV 프로그램도 심심찮게 볼 수 있습니다. 그런 것을 볼 때면 슬퍼집니다. 말초신경을 자극하는 감정들이 정말이지 우리의 영혼을 갉아먹어서 결국에는 하느님과 그분의 계명에 무뎌지도록 한다는 것을 모두가 알게 된다면 얼마나 좋을까요! 청년시절 68운동의 열렬한 추종자였던 이들이 나이가 들어서 자기들이 얼마나 잘못된 길을 걸었는지 스스로 깨달았다는 사실은 흥미롭습니다. 또한 그것을 통해 자기 자신뿐 아니라 다른 사람들과 또 후손들에게까지 얼마나 큰 손해를 입혔는지 알게 되었다니 참으로 다행한 일입니다.

제 경우, 순결을 잃은 후에는 그냥 한없이 슬프기만 했고, 집에 돌아가야 할 때 엄청난 두려움에 시달렸습니다. 어머니가 분명 제게서 뭔가를 눈치 챌 것이라고 생각했기 때문입니다.

이런 경험 후에 저는 어머니의 눈을 똑바로 쳐다볼 수 없었습니다. 제가 저지른 일을 어머니가 제 눈에서 읽어낼 수 있을 거라는 걱정 때문이었지요.

저는 친구들에게 화가 났고 그래서 매우 성을 냈습니다. 또 제가 그처럼 멍청하게 그들의 말을 따라서 저 자신이 원하지도 않은 일을 했다는 사실 때문에, 또 친구들과의 사이를 염려해서 그런 엄청난 짓을 저질렀다는 사실 때문에 저 자신에게도 무척 화가 났습니다.

제 친구 에스텔라의 조언에도 불구하고, 그토록 조심했음에도 불구하고 그 첫 성관계로 인해 저는 임신을 하게 됐습니다. 그런데 16세 소녀가 임신이라는 현실로 인해 감당해야 하는 두려움과 걱정을 여러분은 상상할 수 있겠습니까?

임신과 동시에 제 몸에는 많은 변화가 일어났습니다. 하지만 걱정이나 두려움에도 불구하고 뱃속 아기에 대한 사랑의 감정은 점점 강해졌습니다.

저는 약혼자에게 모든 사실을 털어 놓았습니다. 그는 크게 당황하며 어찌할 줄 몰라 했습니다. 저는 열여섯 살, 그는 열일곱 살이었습니다. 저는 그가 이렇게 말해 주길 기대했습니다. "그렇다면 우리 당장 결혼하자."

하지만 그는 그렇게 하지 않았습니다. 대신 "그런 일로 우리의 인생을 망치면 안 되니 아이를 지워 버리자."고 했습니다.

낙태가 별일이 아니라고?

그런 대답을 듣고 난 후 저는 계속 기운이 쳐져 걱정하고 슬퍼하며 지냈습니다. 정말 슬펐습니다. 아무 일도 생기지 않을 거라며 자신 있게 말했던 친구 에스텔라에게도 화가 치밀었습니다.

이런 저를 보며 에스텔라가 제게 낙태를 권했습니다. "걱정하지 마. 그건 아무것도 아니야. 난 벌써 몇 번이나 그런 일을 겪었잖아. 처음에는 좀 슬펐지만, 두 번째는 훨씬 수월했고, 세 번째는 아무런 느낌도 없었어."

그래서 저는 이렇게 말했습니다. "만일 내가 집에 갔을 때 엄마가 이 상처를 보기라도 한다면 무슨 일이 일어날지 너는 상상도 못 할 거야. 나 때문에 엄마가 죽을지도 몰라."

그녀는 저를 진정시키며 말했습니다. "요즘은 그렇게 크게 째지 않을 거야. 내게 난 칼자국은 아기가 이미 많이 자랐기 때문에 그렇게 큰 거였어. 그때 이미 5개월째였지. 하지만 네 경우엔 걱정할 필요 없어. 네 것은 겨우 손톱만큼 작을 테니깐. 엄마가 전혀 눈치 채지 못할 거야."

아, 이 얼마나 슬픈 일입니까! 얼마나 엄청난 비극입니까! 사탄은 우리가 이런 엄청난 일을 이렇듯 축소해서 받아들여 망치도록 합니다. 마치 그 어떤 일도 결코 중요하지 않은 것처럼, 결코 의미를 둘 필요가 없는 것처럼 여기도록 말입니다. 이 세상에 하느님은 존재하지 않으며, 그러니 낙태는 별일이 아니란 듯, 그저 평범한 일상에 지나지 않는 듯 여기게끔 만들어 버립니다. 예전의 저처럼 멍청하고 어리석은 사람은, 순결한 젊은이에게 낙태가 얼마나 치명적인 결과를 초래하는지 후일 분명히 깨닫게 될 것입니다.

사탄은 젊은이들을 이렇게 부추기면서 이를 믿도록 합니다. 섹스는 단지 즐기기 위한 것이며, 그것 때문에 양심의 가책을 받을 필요가 없으며, 더욱이 죄책감을 느낄 필요가 없다고! 하지만 사탄이 왜 그렇게 하는지 압니까? 왜 그가 사람들을 그렇게 유혹할까요? 수많은 다른 이유가 있지만, 그는 인간의 희생물이 필요하기 때문입니다. 고의적인 낙태를 통해 이 세상에서 자신의 힘이 커지기 때문입니다.

마침내 낙태를 하기 위해 집에서 멀리 떨어진 병원에 갔을 때, 제가 얼마나 걱정하고 죄책감을 가졌는지 모릅니다.

의사는 저를 마취시켰습니다. 그리곤 다시 깨어났을 때, 저는 전혀 다른 사람이 되어 있었습니다. 더 이상 예전의 제 모습은 찾을 수 없었습니다. 의사는 아기를 죽인 것만이 아니었습니다. 저도 아기와 함께 죽었던 것입니다.

주님께서는 "생명의 책"에서 과거의 이 모든 일을 보도록 해 주셨습니다. 우리가 지상의 눈으로는 볼 수 없었던 일들을 말입니다. 주님께서는 의사가 낙태 수술을 할 때 무슨 일이 일어났는지도 제가 보도록 해 주셨습니다.

의사가 집게 같은 것을 가지고 제 뱃속의 아기를 집어서 조각내는 것을 제 눈으로 생생하게 보았습니다. 그때 아기는 사력을 다해 울었습니다. 필사적으로 있는 힘을 다해 울었습니다.

인간은 어머니의 태중에 잉태되는 즉시 자신의 영혼을 받는데 완전히 어른처럼 성숙한 영혼입니다. 이 영혼은 완전하며, 완전히 성숙한 상태입니다. 왜냐하면 영혼은 육체처럼 성장하는 것이 아니기 때문입니다. 하느님께서는 인간의 영혼을 완성된 상태로 창조하셨습니다.

정자와 난자가 만나 하나가 되자마자 그 안에서 형언할 수 없을 정도로 아름다운 광채가 뿜어 나왔습니다. 그리고 이 빛은 마치 태양처럼 빛이 났는데 하느님 아버지와 그분의 끝없는 사랑의 광채에서 나온 것입니다. 정자와 난자가 만나는 바로 그 순간 하느님에 의해 창조된 영혼은 이미 완전히 성숙하게 다 자란 상태입니다. 영혼은 완벽하며 하느님의 모상 그 자체입니다. 영혼과 하나 된 그 어린 생명은 하느님의 심장에서 나온 성령에 잠깁니다.

임신한 여자의 자궁은 주님과 새로 창조된 영혼과 이 빛이 하나가 되면서 형성된 광채로 가득 찹니다.

낙태 시술 병원의 의료진들, 곧 살인자들이 아기를 집게로 잡아 조각낼 때, 맙소사, 새로 시작된 그 작고 여린 생명이 살아남기 위해 얼마나 발버둥을 치는지….

그들이 이 영혼을 주님의 손에서 떼어낼 때, 주님께서 얼마나 부르르 떨며 전율하시는지 제 눈으로 똑똑히 보았습니다. 아기가 살해될 때 지르는 비명 소리는 하늘에 울려 퍼지며 그곳을 진동시킵니다. 제 아기가 낙태될 때도 그렇게 심장을 도려내듯 크고 강한 비명을 지르는 것을 저는 들었습니다.

그리고 십자가에 달리신 예수님께서도 생명의 권리를 박탈당하며 낙태되는 모든 영혼들을 위해 신음하며 괴로워하시는 것을 저는 보았습니다. 십자가에 달리신 주님의 눈은 고통으로 가득 차 있었는데, 그분이 견뎌야만 하는 고통이 어떠했는지는 도저히 설명할 수가 없습니다! 낙태 시술을 받는 당사자와 시술을 하는 의료진들이 만일 이 모습을 눈으로 볼 수 있다면, 감히 낙태할 엄두를 내지 못할 것입니다.

여러분은 알고 있습니까? 지금 이 세상에서 낙태 시술이 얼마나 많이 이뤄지고 있는지 알고 있나요? 하루에 혹은 한 달 중에 시술되는 것이 몇 건이나 될까요? 우리의 죄가 얼마나 엄청난지 헤아릴 수 있겠습니까? 이런 엄청난 대대적인 살인에도 불구하고, 우리는 주님께 아픔과 고통만을 드리는데도 불구하고, 이처럼 괴물 같고 단지 죄만 짓는데도 불구하고, 그분은 우리에게 자비를 베푸시며 여전히 우리를 사랑하십니다. 우리가

주님께 드린 그 모든 고통에도 불구하고, 또 우리 자신이 악의
노리개가 되어 사악하게 변질되어 가는데도 불구하고….

낙태는 가장 무거운 죄이며, 가장 끔찍한 죄입니다

죄 없는 어린 생명이 피를 흘릴 때마다 우리는 사탄에게 제물을
바치는 것이 되며, 그로써 이 세상에서 사탄의 힘이 점점 더 커
지게 됩니다. 그리고 그 어린 생명의 영혼은 죽음의 공포 속에서
살려달라고 소리치지만, 아무도 그 소리를 듣지 못합니다. 아
니, 아무도 들으려고 하지 않습니다! 다시 말씀드리는데, 그 생
명은 비록 몸은 미성숙하지만 영혼은 완전히 성숙해 있으며, 모
든 게 다 갖춰져 있습니다. 마치 작은 사과씨 안에 사과 열매가
열릴 큰 사과나무의 프로그램이 모두 들어 있는 것과 같습니다.

몸은 서서히 형성되고 점차 자라나지만, 영혼은 이미 완성된
상태입니다. 그 어린 생명이 살해될 때 내지르는 비명은 지상의
우리 귀에는 들리지 않지만 하늘과 땅을 진동시킵니다.

그런데 지옥에서는 승리의 환호성이 울려 퍼집니다. 마치 축
구 경기 중 골이 터졌을 때 울려 퍼지는 함성과 같습니다. 지옥
은 악령들, 악마들, 작은 악마들로 가득 찬, 거대하지만 보이지
않는 지대입니다. 이들이 거기서 미친 듯 승리의 환호성을 내지

르는 것입니다.

낙태를 한 후 양심의 가책을 느끼던 제게 악령들이 제 아이의 피를 부었고, 마찬가지로 다른 사람들에게 낙태를 하도록 부추기고 등을 떠밀었던 그 아이들의 피도 제게 부었습니다. 그러자 원래 빛을 내던 제 영혼이 한 치 앞도 볼 수 없는 암흑처럼 깜깜한 모습으로 바뀌었습니다. 그리하여 낙태를 한 후 저는 죄에 대한 모든 감각을 잃어버렸습니다. 저는 정말 죄가 없다고 생각하게 되었습니다.

하지만 주님께서 제게 더 많은 것을, 즉 사람들이 이른바 "가족 계획"을 통해 낙태를 유발시키고 있는 실상을 보여 주셨습니다.

저는 첫 임신 후 자궁 안에 '루프'라고 부르는 구리로 된 링을 심어 두었는데 수정란의 착상을 막기 위해서였습니다. 16세 때였습니다. 벼락을 맞은 그날까지도 이것을 끼고 있었습니다. 임신을 하고 싶을 경우에만 그것을 일시적으로 제거하곤 했습니다.

제가 분명하게 말씀드리건대, 이 링이 낙태를 유발한다는 점입니다. 수정란이 자궁 안에 자리 잡지 못해 죽으면, 그것이 바로 낙태인 것입니다. 제가 알기로, 루프를 착용한 많은 여성들이 월경 시 피에 덩어리진 어떤 것이 섞여 나올 때 매우 고통을 느끼는데 생리 주기가 평소보다 길어진 경우에 그렇습니다. 그러면 의사에게 가게 되고, 의사는 특별한 의식 없이 진통제를 처방해 주거나 심할 때는 주사를 놓아 줍니다.

그런데 그 핏덩어리의 정체가 무엇인지 아는지요? 그건 갓

수정된 생명체이며 착상하지 못하고 유산된 생명체입니다. 그렇습니다. 루프로 말미암아 착상하지 못한 초미니 유산아입니다. 왜냐하면 난자가 정자와 만나 수정된 후 자궁에서 착상하려고 하지만 루프 때문에 그렇게 하지 못한 것입니다. 그 수정란은 이미 사람입니다. 수정란은 이미 완전한 형상을 갖춘 영혼을 지니고 있는데도 육적인 형상을 허락받지 못했을 뿐입니다. 얼마나 많은 수정란들이, 즉 완전한 생명력을 가진 사람들이 이런 방식으로 살해되는지를 명백히 보아야만 합니다. 이러한 "하느님의 불씨"가 꺼져 버리고 살해되며, 이러한 생명들의 비명이 지축을 뒤흔듭니다.

하지만 가장 끔찍한 사실은 제가 이 사실을 전혀 몰랐다는 점입니다. 말해도 알아들을 수 없었지만 말입니다. 어느 신부님이 강론 때 한 번 언급했지만 저는 들으려고 하지 않았습니다.

예전에 미사에 참례했을 때, 저는 사제가 이야기하는 내용에 전혀 주의를 기울이지 않았습니다. 귀담아들은 적도 없었고, 그날 복음 내용이 무엇이었는지 누가 제게 물어도 저는 기억하지 못했습니다. 아시는지요? 악령들은 성당 안에도 있으면서, 우리가 들으려는 것을 방해하며, 우리의 주의를 딴 데로 돌리고 잠들게 합니다.

그런데 언젠가 미사 중에 제가 완전히 딴 생각을 하고 있었는데 제 수호천사가 저를 흔들어 제 귀를 열어 두었습니다. 그 순간 신부님이 하시는 말씀을 듣게끔 하려는 것이었습니다. 그때 신부님은, 방금 제가 말씀드린 그 내용, 즉 루프가 낙태를 유발하고, 그런 것을 이용하는 여자들은 영성체를 하면 안 된다는 말씀을 하셨습니다. 그 말을 듣는 순간 저는 그 사제에게 화가 났습니다. '도대체 이런 신부들은 무슨 생각을 하고 있는 거야? 어떤 권리로 이런 일에 간섭하는 거지. 이러니 우리들이 교회와 멀어지는 것이고, 교회에서 아무런 도움도 받지 못하는 거잖아. 정말 교회는 시류에 따르지 못하고, 진보하는 과학기술에 전혀 신경을 쓰지 않는군. 사제들은 대체 누구를 위해 있는 거야? 태어난 애들을 모두 다 책임질 수 있나 봐.'

저는 속으로 이렇게 욕설을 퍼붓고 분통을 터뜨리며 성당 밖으로 나왔습니다. 따라서 하느님의 심판 앞에서 제가 그 사실을 몰랐다고 말할 수가 없었습니다. 저는 이런 강론을 들었지만, 거기에 신경을 쓰지 않았고, 제가 사고를 당할 때까지도 계속 루프를 차고 있었던 것입니다.

제가 이런 방식으로 얼마나 많은 어린 생명들을 죽였을까요? 제 자궁이 생명의 원천이 아닌 공동묘지가 되었기 때문에, 아니 태아들의 처형지로 변해 버렸기 때문에 제가 그토록 우울했던 것입니다.

엄마가 자기 자식을 죽이는 것을 상상해 보십시오. 하느님께서 엄마에게 생명이라는 큰 선물을 주시고 생명을 이어가는 능력을 주셨는데, 자녀들을 모든 위험에서 보호하고 지켜내야만 하는 엄마가 자기 아이를 죽이다니요. 이것은 바로 악령의 사악한 계교로 인한 것인데, 악령은 온 인류가 자신의 아이들을 죽이도록, 그리하여 자신의 미래를 죽이도록, 싹이 말라 버리도록 유도하고 있습니다.

　이제 비로소 알았습니다. 왜 그동안 제가 내적으로 고통에 차 있었고, 우울했으며, 늘 기분이 나빴고, 늘 흥분된 얼굴로 누구에게나 함부로 화를 내고, 무슨 일이든 불쾌했었는지 이제 알았습니다. 당연합니다. 저 자신도 알지 못한 채 저를 아기 처형소로 탈바꿈시켜 버렸기 때문입니다. 그리고 그로 인해 저는 점점 더 나락으로 떨어졌고, 지옥 언저리까지 내려온 것입니다.

　자발적인 낙태는 모든 죄 중에서도 가장 끔찍한 죄입니다. 왜냐하면 자궁 안의 무방비 상태의 생명을 죽이는 것은, 무죄한 존재를 죽이는 것은 사탄에게 자신의 생명을 인도하는 것이며, 사탄에게 자기 영혼을 파는 것을 뜻하기 때문입니다. 우리가 무죄한 피를 흘리도록 했기 때문에 악마가 우리를 지옥으로 끌고 갑니다.

　낙태된 태아는 어린양, 즉 "죄 없는 어린양"이신 예수님과 흡사하며, "우리를 위해 처형되신 하느님의 어린양"과 흡사합니다. 낙태의 죄는 어둠의 세력과 결탁한 것이며, 그것도 아주 견고한 결탁을 의미합니다. 왜냐하면 자기 아이를 죽인 진짜 엄마이기 때문입니다. 이것이 바로 점점 더 많은 악령들이 인류를 멸망시키기 위해 지옥에서 기어 나와 온 세상을 가득 채우게 되는 근본 원인입니다. 오늘날 사탄의 세력과 사탄이 퍼뜨리는 오류가 얼마나 세력을 확장하고 있는지 다들 분명히 알고 있습니다.

　지옥문을 막고 있던 봉인이 떨어지고 있으며, 악마가 더 이상 넘쳐나지 않도록 하느님께서 그곳에 만들어 놓으신 봉인이 떨어지고 있습니다. 그 봉인은 계속되는 태아 살해로 점점 더 부서지고 있습니다. 지옥의 문에서 악령들이 뛰쳐나오고 있는데, 그들의 모습은 끔찍하게 생긴 구더기 같습니다. 우리가 살아가는 이 세상에 지옥의 짐승들이 점점 더 넘쳐나고 있으며, 이들이 사람들에게 달라붙어서 마침내 모든 이를 육체의 노예, 향락의 노예, 죄의 노예로 만들어 버리며, 악마의 수중에 떨어지게끔 합니다.

우리가 살아가는 곳곳에서 사악한 일이 계속 증가하고 있는 것을 우리는 점점 실감하고 있습니다. 이는 우리 스스로 악령들의 손에 열쇠를 쥐어 주기 때문에 초래된 것입니다. 그로 인해 악령들이 우리가 살아가는 이 세상을 완전히 장악하고 있습니다. 매춘의 악령들이 판을 치고 있으며, 쾌락주의, 사탄주의, 무신론주의, 자살, 무관심과 냉담을 비롯한 수많은 사악한 일들이 우리 일상에서 점점 더 자주 일어나게 된 것입니다.

세상이 점점 더 악해져 가고 있습니다. 매일 수많은 아이들이 살해되고 있으며, 이것은 지옥이 승리의 나팔을 불도록 하는 것입니다. 이런 무죄한 피 때문에 악령들이 지옥에서 풀려나서 우리 가운데서 해악을 퍼뜨리고 있습니다.

우리가 제대로 알지 못했기에 죄를 짓지만, 우리가 양심에 침묵하기 때문에 그것을 알지 못한다는 것을 염두에 두십시오. 그래서 우리 삶이 점점 더 지옥의 그것으로 바뀌고 있으며, 온갖 종류의 문제에 휩싸이는 것입니다. 인간에게 일어나는 온갖 질병들과 우리를 엄습하는 온갖 나쁜 일들, 이 모든 것이 죽음의 문화 속에 사는 우리에게 악령들이 영향을 끼치기 때문에 일 어납니다.

그런데 어떤 잘못이나 죄를 범하고도 그것을 통회하거나 아 파하지 않고 고해성사를 받지 않으면 그것은 바로 악마에게 문 을 열어 준 것이 됩니다. 악마가 원하는 대로 우리 삶을 엉망으 로 만들 수 있는 자유와 허락을 준 것이 됩니다.

낙태가 모든 죄 중 가장 무거운 죄임에도 불구하고 아무런 죄의식 없이 낙태를 범할 뿐만 아니라, 수많은 잘못을 범하고도 아무런 죄의식을 가지지 못하게 된 것은 우리들이 이미 완전히 무감각해졌기 때문입니다. 게다가 우리는 종종 철면피처럼 자 신에게 무슨 나쁜 일이 생기거나 질병이나 고통이나 근심이 닥 쳐올 때면 그 모든 것을 하느님의 탓으로 돌리며 하느님을 원망 하기도 합니다.

하지만 다행스럽게도 무한한 자비와 사랑의 하느님께서 우 리에게 고해성사라는 치유의 성사를 주셨기에, 우리는 회개하 고 고해성사를 통해 죄를 씻어 내어 사탄의 사슬을 끊어낼 수 있습니다. 우리의 삶에 대한 사탄의 영향을 단번에 끝장내 버릴 방법이 고해성사입니다. 그리고 이 방법으로 우리는 우리의 영 혼을 정화시킬 수 있습니다. 하지만 저는 제 구원의 몫으로 주 어진 고해성사를 이용하지 않았던 것입니다.

그런데 살인을 저지른다는 것은 다른 이의 생명을 직접 빼앗 는 것만이 아니며 우리는 간접적인 방법으로도 얼마든지 살인 죄를 저지를 수 있습니다. 제 말에 귀를 기울여 주십시오!

저는 돈으로 쟁취한 힘과 영향력으로 여러 여자들을 움직여 그들이 낙태를 하도록 조장하고 그것에 필요한 비용을 지원해 주기까지 했습니다. 제 돈으로 낙태 시술을 받게 된 것입니다. 제가 이런 지원을 한 것은 "여성들은 자신이 임신할 시기를 결정할 권리를 가지고 있습니다. 여성의 몸은 바로 그 자신의 것입니다." 하며 늘 주장해 왔기 때문입니다.

아! 그런데 제 "생명의 책"에 이것이 기록되어 있었습니다. 그 책에서 그 사실을 확인하고는, 제가 돈으로 얼마나 혐오스런 범죄를 엮어냈는지 깨닫고는 엄청난 고통을 느꼈습니다. 제 "생명의 책"에는 결코 지워지지 않게끔 쓰여 있었습니다.

당시 저는 막 14세가 된 소녀에게 낙태를 권했습니다. 제가 그녀의 스승이었습니다. 누군가가 독을 한번 품게 되면 그 사람 가까이에 오는 모든 이들이 부정적인 영향을 받고 독에 감염되는 법인데 바로 그랬습니다. 저는 그 소녀 외에도 아주 어린 소녀였던 제 조카딸 세 명과 제 조카의 약혼녀도 낙태를 하도록 했습니다.

그들의 부모들은 그들이 조금의 거리낌도 없이 저를 찾아가도록 했는데, 제가 무엇이든 할 수 있는 많은 돈을 지닌 사람, "착한 마음을 지닌 사람"이었기 때문입니다. 저는 모두를 늘 초대하는 "좋은 이모"였습니다. 그들에게 새로운 세상 패션에 관해 이야기해 주고, 그들에게 최신 유행을 선보이며 종종 사 주기까지 한 좋은 이모였습니다.

저는 젊은이들이 어떻게 하면 더 매력적으로 보일지, 어떻게

하면 더 섹시하게 보일지, 어떻게 하면 더 매혹적으로 뽐낼 수
있을지를 옆에서 도운 사람입니다.

여러분, 한번 생각해 보십시오! 제 여동생이 저를 완전히 믿
고 자기 아이들을 제게 보냈고 맡겼습니다. 그런데 제가 그 조
카들을 얼마나 나쁘게 물들였고 타락시켰는지요. 그렇습니다.
아직 어린아이의 티를 못 벗어난 그들을 제가 타락시켰던 것입
니다. 그것은 비명 소리가 하늘까지 다다르게 한 범죄에 버금가
는 죄였습니다. 주님 앞에서 낙태 다음으로 가장 혐오스런 짓에
속하는 엄청난 죄였습니다. 왜냐하면 제가 그 어린 소녀들에게
다음과 같이 말하며 그들의 행동을 조장했기 때문입니다.

"얘들아, 바보처럼 굴지 마! 비록 너희 부모들이 너희에게 처
녀성이나 순결이 중요하다고 말하지만, 그건 단지 그들의 사고
방식이 구식이어서 그런 거란다. 지금은 달라. 부모는 과거의
사고방식이나 행동방식에 사로잡혀 있지. 너희들이 그걸 이해
해야만 해. 너희들 스스로 최신 유행을 받아들여서 우리 여성들
이 쟁취한 자유를 누리고 여성으로서의 완전한 자아실현을 해
야 할 거야. 그러니 너희들이 이해하려무나. 그렇다고 해서 너
희의 젊음을 망치면 안 돼. 그런데도 너희 엄마들은 너희들을
앞에 두고 이미 2,000년 전에 있은 성경에 관해서 이야기하고
있으니 전혀 '업데이트' 되지 못한 사람들이지. 그리고 신부들
도 최신 유행을 거부하고 시류에 따르지 않으려고 한단다. 그들
은 단지 교황이 지시한 것만 가르칠 뿐이며, 교황 역시 시대에
맞지 않고 유행에서 벗어난 사람이야. 그러니 그의 말을 듣는

이들은 모두 하나같이 멍청한 사람들이며, 그들이 자기에게 주어진 삶을 제대로 향유하지 못한다면 그건 다 자기 잘못이야."

제가 젊고 무고한 소녀들의 가슴에 퍼뜨린 독이 어떤 것인지 이제 아실 겁니다. 그건 상상도 할 수 없을 정도로 소름 끼치는 짓이었습니다! 그들이 지옥으로 직행하도록 제가 길을 놓았던 것입니다!

제가 저지른 만행은 여기서 그치지 않았습니다. 저는 이 어린 소녀들이 어떻게 하면 섹스를 가장 잘 즐기고 쾌감을 잘 느낄 수 있는지도 가르쳤습니다. 물론 피임의 중요성도 가르쳤으며, 제가 알고 있는 모든 피임법을 전수했습니다.

"완벽하고 독립적인 여성"이란 직함으로 저는 그 소녀들에게 성관계에서 있을 수 있는 모든 위험과 피임에 대해 정확하게 알려 주었습니다.

그런데 어느 날 이 소녀들 중 한 명이, 즉 제 조카의 약혼녀가 제 진찰실로 왔습니다. 그 애는 막 14세가 되었습니다. (지금 여러분께 말씀드리는 내용은 제가 직접 "생명의 책"에 기입된 내용을 본 것입니다.) 그녀가 진찰실로 저를 찾아와서는 쓰라린 눈물을 흘리며 말했습니다. "글로리아 이모, 저는 아직 어리고, 사실 아무것도 모르는 어린아이인데 임신을 하고 말았어요."

그래서 제가 말했습니다. "에구, 이 어리석은 것아! 피임법을 내가 너희들에게 알려 줬잖니!!!"

그녀는 이 말에 계속 울며 말했습니다. "예, 그랬죠. 그런데 그게 제대로 되지 않았어요."

제 "생명의 책"을 보고 나서야 저는 알았습니다. 주님께서 이 어린 영혼을 제게 보내신 것은 그 같은 어리석은 짓을 막도록 하기 위해서였다는 것을 말입니다. 제가 그녀를 설득해서 낙태를 포기함으로써 그녀가 지옥에 빠지지 않게 되기를 하느님께서 원하셨던 것입니다.

왜냐하면 낙태죄는 우리 영혼의 목에 무거운 사슬을 매달아서 바닥에 가라앉도록 하는데, 그 사슬을 우리에게서 결코 벗겨낼 수 없습니다. 그 결과, 사는 동안 결코 멈추지 않는 고통이 생기는데, 살인을 저질렀다는, 즉 자신이 살인자라는 미칠 것 같은 죄의식이 그 사람을 지배합니다.

그런 중에도 가장 끔찍한 사실은 다른 사람도 아닌 자기 자신의 몸과 피를 받은 자기 아이를 살해했다는 점입니다.

이 소녀의 경우에는, 제가 우리 주님에 관해 얘기하며 낙태를 단념하도록 하지 않고 그 대신 그녀의 손에 돈다발을 쥐어 주며 낙태를 하도록 부추겼다는 사실이 가장 끔찍했습니다.

더욱이 저는 그나마 양심에 걸려서, 사실 그것이 양심이라고 말할 수 있을지 정말 모르겠지만, 나중에 합병증이 생기지 않도록 가장 유명한 낙태 전문병원에 갈 수 있는 충분한 비용을 그녀에게 쥐어 주었습니다. 이처럼 저는 자주는 아니지만 몇 번이나마 낙태를 하는 데 돈을 제공해 주었습니다.

지금에 와서 그 일을 생각하면 몸서리가 쳐집니다. 그렇게 태아의 피가 흘려질 때마다 그것은 사탄에게 큰 제물을 바치는 것이며, 사탄을 위한 만찬을 제공하는 것입니다. 사탄은 그때마다 만세를 부르며 기뻐서 춤을 춥니다.

반면에 태어나지 못한 무고한 아이가 고통으로 죽는 매순간마다 우리 주 예수 그리스도께서는 이천 년 전 십자가에서 돌아가실 때 겪으셨던 것과 동일한 고통을 당하시며, 고통에 눌려 몸을 움츠리고 괴로워하십니다.

저는 "생명의 책"에서 어떻게 생명이 탄생하는지도 보았습니다. 정자가 난자를 만나는 순간 우리 영혼이 어떻게 탄생되는지를 보았습니다. 그 순간 놀랍도록 아름다운 불꽃이 튀면서 빛을 발하는데, 그것은 하느님 아버지에게서 나온 빛입니다. 그 순간 그 새로운 영혼은 미래의 엄마의 뱃속에서 빛을 발합니다.

그런데 그 새 생명이 낙태를 당하게 되면, 비록 눈과 사지는 형성되지 않았지만 그 영혼은 고통으로 비명을 지르며 신음합니다. 하느님에 의해 창조된 그 영혼이 살해될 때, 천상의 모든 성인들이 저편 세상에서 들려오는 그 비명과 신음 소리를 듣습니다.

우주의 모든 천체가 마치 산에서 울리는 메아리처럼 우주 이 끝에서 저 끝까지 크고 분명하게 울려 퍼지는 그 비명 소리에 움츠러듭니다.

지옥에서도 그 비명 소리를 크고 또렷하게 들을 수 있는데, 그 소리를 들으면서 모든 악령들은 마치 축제라도 즐기듯 뛰쳐나와 환희의 춤을 추며 기쁨의 함성을 지릅니다.

그리고 그런 직후 곧바로 지옥에서 몇몇 봉인이 열립니다. 그리하여 끔찍한 악령들이 지옥에서 풀려나서 전 인류를 유혹하여 잘못된 길로 이끌기 위해 세상으로 기어 나옵니다.

그 결과 점점 더 많은 사람들이 사탄의 노예가 되며, 점점 더 많은 사람들이 쾌락과 향락에 빠지게 되고, 약물 중독자들이 새로 생겨나며, 잔악하고 끔찍한 범죄와 사악한 일들이 끊임없이 벌어집니다. 우리들이 매일 뉴스로 사건과 사고를 보고 들으면서 이보다는 더 심할 수 없다고 매번 생각하지만, 그 다음날이 되면 또다시 새로운 범죄가 생겨나고 더해져서, 점점 더 심해지는 이유가 여기에 있습니다.

전 세계에서 매일 얼마나 많은 태아들이 살해되고 있는지 생각해 본 적이 있습니까? 그 엄청난 범죄의 규모를 헤아린다는 것은 이제 불가능합니다. 그런데 우리는 지금도 이런 무고한 생명들의 피 속에서 허우적대고 있으면서도 전혀 눈치를 채지 못하고 있습니다.

이제 우리에게 이런 일은 일상이 되었고 그리 놀라운 일도 아닌 게 되었습니다. 오히려 낙태 반대를 부르짖는 사람이 미친 사람이고, 보수적인 사람이며, 구시대의 인물이고, 뭔가 모자란 사람으로 취급을 받습니다.

이러한 현실은 지옥의 군주인 사탄에게는 가장 큰 승리를 뜻합니다. 태어나지 못한 태아의 무고한 피의 값으로 매번 새로운 악령 하나가 세상에 풀려난다면 우리의 세상은 어떻게 되겠습니까? 조만간에 세상은 지옥에서 풀려난 악령으로 가득 차서 어둠으로 뒤덮이게 될 것입니다.

그리고 저는 보았습니다! 제가 이 무고한 태아들의 피에 잠겨서 씻김을 당하는 것을. 우리 세상에서 씻는 과정과는 완전히 정반대로 저의 하얀 영혼은 이런 피의 세척으로 점점 더 어두워져서 완전히 새까맣게 되었고 쳐다볼 수 없을 지경이 되었습니다.

그리고 낙태 사건이 있은 후 저는 더 이상 죄가 무엇인지에 대한 감각을 완전히 잃어버렸습니다. 죄의식이 완전히 사라져서 '이제 내겐 죄가 하나도 없어.'라는 생각이 들었습니다.

모든 일에 거리낌이 없었고, 제가 무척 착한 사람으로 생각되었습니다. 물론 다른 사람을 돕기도 했지만 그것이 그들을 지옥으로 안전하게 인도한 것인 줄은 전혀 의식하지 못했습니다.

그리고 두 번째로, 제 스스로 악마의 하수인 목록에 등록했기에, 제가 결코 그런 생각을 할 수 없었고 느낄 수도 없었다는 사실을 알았습니다.

주님께서는 제가 직접 죽였던, 제가 직접 낙태했던 모든 태아들을 제게 보여 주셨습니다. 지금 여러분과 마찬가지로, 저도 첫 순간에는 정확히 언제, 어떻게, 어디서였는지 몰랐습니다.

하지만 주님께서 제게 보여 주셨고 저는 명백히 알게 되었습니다. 앞서 말씀드렸듯이, 저는 피임도구로 루프를 몸에 차고 있었습니다.

그런데 제 "생명의 책"을 경이롭지만 고통스럽게 들여다봤습니다. 제 안에서 수많은 난자가 정자와 만나 수정되었고, 그 순간 미세한 생명체로 아주 조그만 아기가 되는 것을 보았습니다. 그리고 그 아기들의 영혼이 형성될 때 빛을 발했던 수많은 불꽃들도 보았습니다. 또한 인간에 의해 하느님 아버지의 손에서 떨어져 나간 그 영혼들의 비명 소리도 들었습니다.

그 순간, 제가 왜 그동안 늘 기분이 나빴고, 늘 비참한 기분으로 투덜대며 지냈는지 그 이유를 알았습니다. 저는 종종 상대방의 기분을 거스르는 심한 말을 했고, 때로는 말을 걸지도 못하게 했으며, 동료나 가족들이 통제하기 힘들 정도로 변덕스럽게 굴기도 했습니다.

온종일 좌절감만 맛볼 때가 많았고, 모든 일에 만족할 수 없었습니다. 종종 심한 우울증이 밀려오곤 했습니다. 그런데 이제 그 이유가 완전히 밝혀졌습니다. "바로 이 때문이었구나! 내가 태아 처형소가 되었기에 그랬구나!"

그리고 이 때문에 저는 죄의 수렁에 더욱 깊숙이 빠졌던 것입니다. 그런데도 제 인생을 돌아보며 '난 살인죄를 저지르진 않았어. 난 누군가를 죽인 적이 없어.' 라고 생각하며 자랑스럽게 외칠 수 있었을까요?

동료가 단지 뚱뚱하다는 이유로, 별로 호감을 주지 못한다는 이유로 함부로 무시하고 경멸했으며, 누군가를 악의에 가득 찬 태도로 대하거나 냉대했었으며, 제 자신이 아주 비열한 살인자였는데 어떻게 그토록 우쭐대며 행동할 수 있었을까요?

칼이나 권총으로만 사람을 죽일 수 있는 게 아니라는 것을 주님께서 제게 보여 주셨습니다. 그렇습니다. 사람을 이유 없이 증오할 때, 질투에 사로잡혀 그에게 나쁜 일이 있기를 바라거나 나쁜 해를 입힐 때, 그 자체만으로도 충분합니다. 그것만으로도 그 사람을 이미 살해한 것입니다. 인격 살인이란 말이 바로 이

런 경우에 해당됩니다. 너무나 사악한 일이지만 우리 자신이 그
위험성을 인지하지 못하는 이런 생각과 행동에서 살인이 시작
됩니다.

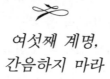

여섯째 계명,
간음하지 마라

이제 여섯째 계명의 차례가 되자 제 마음이 이렇게 속삭였습니
다. '자, 적어도 이 계명에서는 내가 무언가를 어겼다고 비난할
순 없겠지. 결혼한 이후로 난 한 남자, 즉 내 남편 외에는 성관
계를 가진 사람이 없으니깐. 난 내세울 애인도 없잖아.'

그런데 이러한 안심을 뒤엎는 사실이 갑자기 제게 제시되었
습니다. 제가 가슴이 거의 다 드러나는 섹시한 비키니를 입고
다니면서 제 몸을 본 남자들이 나쁜 상상을 하도록 유혹했던 것
입니다. 그들을 죄로 유인했던 것입니다. 남편이 아닌 이성과
성관계를 한 것은 아니지만 이런 간단한 방법으로 이따금 간음
에 빠진 것입니다.

또한 저는 평소에, 결혼한 여자라고 해서 반드시 정조를 지
킬 필요는 없다는 충고를 자주 하곤 했는데 이것으로도 혼인 서
약을 깨뜨렸습니다. 늘 이런 식으로 충고했습니다. "멍청하게

굴지 말고, 남편에게 앙갚음해요. 남편을 용서하지 말고, 갈라서요. 빨리 이혼하는 게 훨씬 낫습니다."

이런 설득, 이런 사악한 충고만으로도 저는 혐오스런 간통죄를 지었고 그것에 동조한 셈이 되었습니다.

제 인생을 돌이켜 본 그 순간에 제가 명확하게 알게 된 것이 있는데, 이른바 "육욕의 쾌락"을 추구한 죄는 용서받지 못한다는 사실입니다. 이 죄를 짓게 되면 바로 지옥에 떨어지게 된다는 사실입니다. 그러므로 비록 오늘날 많은 사람들이 그걸 대수롭지 않게 생각하거나, 더욱이 누구나 직접 경험해야 하는 아주 멋진 것으로 여기거나, 그 절정에 이르렀을 때 어떤 느낌을 갖는지 알아보기 위해 한번 해 봐야 한다는 말을 할지라도 이를 매우 엄격히 배척해야만 합니다.

많은 이들이 그것의 본질을 알지 못한 채 전혀 두려움 없이, 오히려 자기 행동의 논거로 삼아 이런 말까지 합니다. "야생 동물처럼 한번 거칠게 해보자!"

또한 동성애 문제에 있어서도, 동물의 세계에도 동성의 쌍이 있다는 것이 이미 증명되었다는 이유를 들어 동성애는 자연적인 것이며 신의 의지에 따른 것이라고 주장하고 있습니다.

하지만 이로써 인간이 동물을 하나의 본보기로 삼게 되었다는 사실을 그들은 알지 못하고 있습니다. 이는 의미상으로 볼 때 영혼을 내팽개치는 것과 유사합니다. 하느님의 모상인 우리를, 하느님께서 우리 각자에게 만들어 주신 불멸의 영혼을 이런 일로 개 앞에 던져 버리는 꼴이 됩니다.

안타깝게도 저는 살면서 하느님의 손에서 떨어져 나와 있었습니다. 슬프지만 인정해야만 하는 사실은, 행동으로 옮겨야만 죄가 되는 게 아니라 비밀스런 생각만으로도 죄가 된다는 것입니다. 영혼 안에서도 무거운 죄를 범할 수 있는데, 말과 행위로 실행하지 않았어도 생각만으로 대죄를 범할 수 있습니다.

이렇게 범한 모든 죄의 결과와 오랜 시간이 지나면서 그 죄가 미친 영향이 어떤 것인지를 깨달았을 때 정말 괴로웠습니다.

제 아버지가 반복적으로 지은 간통죄가 자식들에게 큰 해악을 끼쳤으며 자식들의 영혼을 질식하여 죽게 했습니다. 그로 인해 저는 모든 남자들을 경멸하는 사람이 되었고, 제 오빠들은 아버지를 그대로 빼닮아서 그야말로 "진품 같은 복사본"이 되어 버렸습니다. 오빠들은 도처에 다니며 자기들이 제대로 된 "마초"요, 카사노바요, 술고래라며 떠벌리고 다녔습니다. 또한 자신에 대한 망상을 많이 가지고 있습니다. 자신들로 인해 자기 아이들에게 또다시 얼마나 큰 해악을 끼치고 있는지 아직 헤아리지 못하고 있으며 의식해 본 적도 없습니다.

이로 인해 아버지가 다른 세상에서 그토록 애절하게 울고 있는 것을 저는 보았습니다. 그곳에서 비로소 아버지는 자신이 아들과 딸들에게 얼마나 큰 죄를 물려주었는지를 보고 깨닫게 되었던 것입니다. 또한 이로써 하느님의 섭리와 하느님 아버지의 창조물에 어떤 해악을 끼쳤는지도 알게 되었습니다.

도둑질을 하지 마라

일곱째 계명인 "도둑질을 하지 마라."에서 저는 다시 안심하며 제 자신을 매우 존경할 만한 사람으로 여겼습니다. 이 계명에 있어선 비난할 게 아무것도 없었으니 말입니다!

하지만 주님께서는 저의 집에 풍족하게 쌓아 둔 많은 생필품이 썩고 곰팡이가 피기 시작하는 것을 철저하게 보여 주셨습니다. 예전에 저는 아무런 의식 없이, 보는 이의 눈이 휘둥그레질 만큼 많은 물건을 샀으며, 버리는 것도 많았습니다. 따라서 제가 음식이 변질되도록 내버려 두는 동안, 전 세계의 수많은 사람들이 굶주리고 있었다는 것을 주님께서 제게 보여 주시며 이렇게 말씀하셨습니다.

"나는 배가 고팠다. 그런데 내가 너에게 준 것을 가지고 네가 어떻게 했는지 보려무나. 너는 그것을 전혀 소중히 여기지 않았고 상하게 내버려 두었다. 나는 추웠다. 그런데 너는 얼마나 최신 유행과 외모의 노예가 되어 버렸는지 한번 보려무나. 네 몸을 날씬하게 하려고 미용 주사에 얼마나 많은 돈을 써 버렸는지 보려무나. 너는 네 육신의 노예가 되어 버렸다. 간단히 말해, 너는 네 육신을 우상으로 떠받들어 섬겼다."

그리고 이런 탓에 우리나라의 극심한 빈곤에 대해 저에게도 공동책임이 있으며, 또한 하느님의 일곱째 계명도 어겼다는 것을 우리 주님께서 제게 보여 주셨습니다.

또한 제가 누군가에 대해 험담을 할 때마다 그들의 명예를 훔쳤다는 사실을 주님께서 깨우쳐 주셨습니다. 이런 것들을 다시 정상으로 되돌리고 회복시키는 것은 거의 불가능합니다.

제가 누구의 돈을 훔쳤다는 것이 훨씬 간단한 문제일 것입니다. 그 금액을 돌려줌으로써 잘못을 바로잡을 수 있으니 말입니다. 그러므로 누군가의 "좋은 명성"을 훔치는 것, 곧 험담이나 비난을 하는 것은 물건이나 돈을 훔치는 도둑질보다 훨씬 무거운 벌을 받는 죄입니다.

그리고 저는 제 아이들에게서도 도둑질을 했습니다. 제 아이들에게 좋은 어머니가 되는 것을, 어린아이를 보살피는 다정한 엄마가 되는 것을, 자기 자신을 버리고 헌신하는 사랑의 실제적 모범이 되는 것을 등한시했기 때문입니다.

아이만을 집에 두면서 "아빠의 대체물"로서 텔레비전에, "엄마의 대체물"로서 컴퓨터의 보호 속에, "형제자매의 대체물"로서 수많은 비디오 게임에 둘러싸여 있게 내버려 두고서는 엄마인 저는 거리를 쏘다니는 것은 해서는 안 될 일이었습니다.

그러면서 저는 양심의 가책을 받아서 아이들에게 비싼 돈을 들여 늘 최고 브랜드의 소지품들을 사 줬습니다. 적어도 학교의 친구들한테 강한 인상을 남겨서 질투의 대상이 될 수 있도록 말입니다.

이런 저 앞에서 어머니가 자책하며 자신이 정말 좋은 엄마였는지 물을 때면 제가 더 많이 놀랐습니다. 저희 어머니는 매우 경건하고 훌륭한 아내, 주부, 엄마였고, 당신의 자녀인 우리를 늘 타이르고 사랑했으며, 얼마나 우리의 행복을 염려하고 있는지 보여 주셨으니 말입니다.

마찬가지로 아버지도 우리를 얼마나 사랑하고 우리가 당신 삶에서 얼마나 중요한 존재인지를 당신의 방식으로 보여 주셨습니다. 저는 이런 생각에 깊이 빠져 들면서 혼잣말로 이렇게 중얼거렸습니다. "내가 내 아이들에게 해준 게 전혀 없었더라면 대체 내게 어떤 일이 일어날까? 아마도 그들은 엄마인 내가 이제 더 이상 자기들 곁에, 자기들과 같은 세상에 있지 않다는 것을 전혀 눈치 채지 못할 거야. 아마도 그들은 내가 없다고 전혀 아쉬워하지 않을 거야!"

그러면서 등골이 오싹해졌으며, 마치 칼이 심장 한가운데에 꽂히는 것 같은 통증이 밀려왔습니다.

제가 모든 점에서 실패했다는 사실 때문에 너무 부끄러웠습니다. 마치 영화를 보듯 사람들은 자기 "생명의 책"에서 자신의 생애를 모조리 볼 수 있다는 점을 여러분은 분명히 인지해야 합니다.

또한 저는 그곳에서, 제 아이들이 어느 날 함께 놀면서 이렇게 말하는 장면도 보았습니다. "엄마가 집에 돌아오는 데 좀더 시간이 걸렸으면 좋겠어. 교통정체에 걸렸으면 좋겠어. 엄마는 너무 따분한 사람이고, 내내 우는 소리만 하고 잔소리밖에 할 줄 몰라."

겨우 세 살배기 아들과 그보다 몇 살 위인 딸이 자기들의 부주의한 엄마에 대해 말하는 대화를 듣는다는 건 너무나 힘든 일이었습니다. 제가 제대로 엄마 역할을 하지 못했다는 사실을 다시 깨닫게 되었습니다. 아이들에게 결코 평화로운 가정을 제공하지 못했습니다. 엄마인 제가 모범이 되어 아이들이 어린 나이에 하느님을 알게 되도록 하지 못했으며 오히려 그것을 방해했던 것입니다.

그리고 이웃을 어떻게 사랑해야 하는지를 그들에게 가르치지 않았습니다. 그 원인은 아주 간단합니다. 제가 동료들을 사랑하지 않았으니, 주님도 사랑할 수 없었던 것입니다. 사람과의 관계에서 사랑이나 자비로운 마음이 전혀 없었으니, 주님과 함께할 수 없었습니다. 그리고 어느 누구도 하느님께 가까이 가도록 할 수 없었으니, 신앙을 전파할 수 없었습니다. 하느님은 사랑이시기 때문입니다.

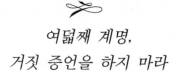

여덟째 계명,
거짓 증언을 하지 마라

이제 여러분께 "이웃에 대해 거짓 증언을 하지 말고 거짓말을 하지 마라."는 주제에 대해 간단히 말씀드리겠습니다. 저는 정말이지 이 계명의 전문가입니다. 왜냐하면 악마가 제 아버지였기 때문입니다. 누구에게든 아버지가 있는데 그 아버지는 하느님 아버지 혹은 그분과 부권父權을 다투는 사탄, 둘 중 하나입니다.

하느님께서는 사랑이시고 저는 증오에 가득 찬 사람이었으니, 누가 제 아버지였겠습니까? 이 질문의 답은 어렵지 않습니다.

하느님께서 저에게 늘 화해와 용서를 가르치시고, 원수와 제게 해를 입힌 사람들도 사랑하라고 요구하실 그때, 제 머릿속에는 복수심만 가득 차 있었고, "이에는 이"란 구호뿐이었습니다. 정말 이것이 당시의 제 가치관이었고 제 사고방식이자 행동방식이었습니다.

그렇습니다. 누가 제 아버지였습니까? 덧붙이자면, 주님은 진리 그 자체이시며, 사탄은 거짓의 군주입니다. 그러니 누가 제 아버지였습니까? 이미 답은 나와 있습니다. 저는 제가 원하는 대로 결정하고 행동할 수 있습니다. 그 결과, 항상 제 스스로 사탄을 제 삶의 아버지로 선택했습니다.

여러분께 분명히 말씀드리는데, 거짓에는 단계도, 가볍거나 무거움도 없습니다. 거짓에는 새빨간 거짓말도, 샛노란 거짓말도, 연푸른 거짓말도 없습니다. 모든 거짓말은 그냥 거짓말일 뿐입니다. 이런 색상의 거짓말들이 존재하지 않는 것처럼, 비상시의 거짓말, 듣기 좋은 거짓말, 자비나 동정에서 나온 거짓말이란 없습니다. 수많은 거짓말들이 오로지 악마의 지시에 따라 간교한 사람들이 누군가를 설득하기 위해 꾸며낸 것들입니다. 거짓말은 그냥 거짓말일 뿐입니다. 그리고 사탄은 모든 거짓말

의 아비이며, 근본적으로 거짓말쟁이입니다.

제 혀로 내뱉은 거짓말들은 정말 지독했고, 너무 끔찍했습니다. 그 때문에 이 계명에서 기껏 딸 수 있었던 점수를 놓쳐 버렸다는 것을 볼 수 있었습니다.

거짓말은 거짓말일 따름입니다. 그중 가장 나쁜 것은, 한번 거짓말에 빠지게 되면 결국에는 자신의 거짓말을 사실로 여긴다는 점입니다.

가장 큰 거짓말은 자신을 거룩한 사람으로 여기는 것입니다. 사람들은 이렇게 말하곤 합니다. "나는 아무도 죽이지 않았고 살인죄를 저지르지 않았어. 하느님은 없어. 하느님이 정말 있다면, 나 같은 경건하고 거룩한 사람은 바로 천국으로 가게 될 거야." 도대체 이런 사이비 거룩함으로 어디를 갈 수 있겠습니까?

한 사람의 생명과 관계된 거짓말이 있습니다. 남을 험담하는 경우가 이에 해당됩니다. 다른 사람을 우스꽝스럽게 만들거나, 함부로 나쁜 별명을 지어서 떠벌리고 다니거나, 사악한 마음으로 누군가의 약점을 잡아내고 그것으로 그를 찌르는 경우도 이에 해당됩니다.

제가 얼마나 자주 그리고 얼마나 많이 이런 방법으로 누군가에게 상처를 입히고, 그를 아프게 하며 중상모략을 했던지…. 이 모든 짓을 제 주변 사람들에게 했었습니다.

우리가 별 생각 없이 함부로 붙이는 별명이 그 당사자에게 얼마나 상처를 주는지 생각한 적 있나요? 그는 그것으로 인해 열등의식을 갖게 될 뿐 아니라 그 열등의식은 평생 그 사람을 따라다니면서 고통을 유발시킵니다.

제 친구 중 약간 살이 찐 이가 있었는데, 저는 그 친구를 "뚱뚱보" 내지 "기름진 구슬"이라고 불렀습니다. 그녀는 이 낙인을 떨쳐 버리지 못하고 계속 "기름진 구슬"로 남았습니다. 그 별명에 그녀는 몹시 괴로워했습니다. 그런 좌절로 인해 그녀는 다식증 환자가 되어 버렸고, 물론 그것은 그녀의 삶에 큰 영향을 미치게 되었습니다. 그리하여 그녀는 친구들과 함께 어울리지 못하고 소외되고 말았습니다.

이처럼 우리가 별 의도 없이 하는 말이 누군가의 행동에 엄청난 영향을 끼치고 부정적인 결과를 가져올 수 있다는 것을 우리는 깨달아야 합니다. 그리고 이 모든 과정에는 사악함이 파도처럼 넘실거리고 있으며, 이 모든 것이 우리가 경솔하게 내뱉은 말이 낳은 열매, 독이 든 열매입니다.

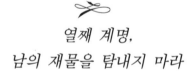

열째 계명,
남의 재물을 탐내지 마라

그 목소리가 하느님의 십계명을 토대로 하여 제 삶을 살필 때 제가 지은 모든 악한 행위, 죄, 원한의 뿌리가 소유욕에 있었다는 사실을 저는 분명히 알았습니다. 단지 모든 것을 갖고 싶고,

모든 것을 맘대로 하고 싶다는 광적인 바람과 중독이 그 원인이었습니다. 그냥 존재하는 것에 만족하지 못하고 제 손안에 쥐어야만 만족하는 습성이 무의식적으로 작용했던 것입니다.

'내가 만일 세상의 모든 돈을 가진 재벌이라면 정말 행복할 거야.' 라는 생각을 자주 했으며, 돈을 많이 갖고 싶다는 이 소원은 곧 강박관념으로 바뀌었습니다. 그리하여 제게 있어 돈이 곧 하느님이었으며, 가장 큰 소원은 가능한 한 많은 돈을 가지는 것이었습니다. 제가 어린 시절에 돈이 없어 힘들었기에, 제 자식들이 여유 있게 돈을 쓸 수 있도록 하고 싶었습니다. 사람의 행복은 돈과 물질을 소유함으로써 달성된다는 그릇된 생각으로 가득 차 있었던 것입니다.

그런데 그것은 정말 안타깝게도 제게 엄청난 비극이었습니다. 제가 정말 많은 돈을 지니게 되어서 거의 모든 것을 할 수 있게 되었을 때, 저는 제 인생에서 가장 비참하고 불행한 시기를 보내고 있었습니다. 제 영혼의 상태가 자살하고 싶을 만큼 깊은 바닥까지 내려갔습니다. 그렇게 소원하던 많은 돈과 명예를 소유했음에도 내적으로는 형언할 수 없이 공허했으며, 너무 외로웠고 세상으로부터 버림받은 것 같았습니다.

"사랑, 우정, 호의는 돈으로 살 수 없다." 라는 말의 의미를 정말 실감했습니다. 세상의 돈으로 사랑을 사려고 하면 단지 위조된 거룩함, 사기, 아부, 거짓 순종만을 얻을 뿐임을 알았습니다. 제가 직접 선택한 그 상황에서 저는 몹시 절망하고 좌절하여 삶의 막다른 길로 내몰렸습니다. 좌절의 절정에 도달했을 때 그곳에는 얼음장 같은 찬바람만이 저를 반겨 주면서 "네가 왜 여기 올라왔니?"라는 질문만 제게 던져 주었습니다.

다른 욕망과 마찬가지로 소유욕은 돈과 부에 대한 중독에서 비롯됩니다. 또한 다른 사람들이 이미 갖고 있는 것에 대한 질투에서 비롯됩니다. 이처럼 "나도 가져야만 한다."라는 집착을 가지고 있었고, 그 집착에 끌려 잘못된 길로 접어들게 되었습니다.

이런 소유욕이 저를 곧바로 지옥행으로 이끌었고, 저를 지으신 하느님을 떠나게끔 했으며, 세상의 재물과 물질에 대한 소유욕 때문에 탐욕에 빠져들게 되어 그분의 손길에서 떨어져 나갔던 것입니다. 중독과 욕심으로 그분에게서 멀어지게 되었습니다.

사람이 하느님과 반대 방향으로 가면, 악마를 뒤따라가게 됩니다. 그리고 하느님께로부터 멀어지면 멀어질수록 그분의 현존을 인식하지 못하고 그분의 보호에서 멀어집니다.

그런데 하느님께서는 너무도 놀라운 방법으로, 제가 결코 예상하지 못한 방법으로 저를 늘 받아 주셨는데 다음 이야기로써 그것을 설명하겠습니다.

1995년 5월 5일, 제가 벼락을 맞은 그날, 연락을 받고 달려온 구급대원들이 저를 사회보장 병원으로 데려가기 전에 먼저 공공 병원으로 운송해 갔습니다. 그런데 그 공공 병원에서 어떤 일이 벌어졌겠습니까? 그곳에는 환자들이 너무 많아 자리가 없었습니다. 병원 복도에도 침상과 들것이 잔뜩 있었습니다. 제가 그곳에 실려 갔을 때 들것 한 개조차도 남아 있는 게 없었습니다.

하느님께서는 이런 방법으로 제가 완전히 버림받은 인간의 처지를 체험할 수 있게 하셨습니다. 그곳의 가련한 의사들은 과도한 업무에 시달려서 자기 몸도 제대로 챙길 수 없을 지경이었습니다. 제가 누운 들것을 쥐고 있던 구급대원들이 "이 환자를 어디에다 눕힐까요?" 하며 계속 물었지만 그때마다 대답은 똑같았습니다. "저기 구석이나 아무 바닥에다 눕혀 놓으세요!"

하지만 구급대원들은 저를 복도 바닥에 그냥 내팽개치지 않았습니다. 왜냐하면 제가 입은 화상으로 볼 때 매우 쉽게 치명적인 감염이나 패혈증이 유발될 수 있다는 것을 알았기 때문입니다.

하지만 제가 거기 그렇게, 의료진이 아닌 구급대원들 틈에 둘러싸여 누워 있었지만 의사들 중 아무도 제게 신경을 쓰지 않았습니다. 마치 숯에 탄 고깃덩어리처럼 누워 있는 것을 보고는 이미 치료가 늦어 생명을 구할 수 없다고 생각했던 것입니다. 그러니 치료 가능성이 높은 환자들에게 매달려 있었습니다.

그 순간, 모든 사람들로부터 완전히 버림받은 느낌이 뼛속 깊이 와 닿았습니다. 비록 거기엔 의사나 간호사와 같은 의료진들이 많이 있었고 환자들을 비롯해 많은 이들로 붐볐지만 말입니다. 고립무원의 처지에 있는 저를 아무도 받아 주지 않으니 화도 났습니다.

그렇게 화가 나 있을 때 저는 갑자기 우리 주 예수 그리스도를 보았습니다. 그분께서 저를 굽어보시며 저를 위로하기 위해 제 머리에 부드럽게 손을 얹으셨습니다. 그 순간 저는 헛것을 보았다고 생각하고는 눈을 감았는데 다시 눈을 뜨자 여전히 우리 주님께서 제게 몸을 굽히고 계셨습니다. 그분의 부드러운 목소리가 제게 들렸습니다. "나를 보려무나. 네가 이제 죽어가고 있으니 나의 자비를 구하고, 나의 자비에 네 바람을 드러내 보이거라."

이 소리를 듣자 '도대체 지금 자비, 자비에 대한 바람이 무슨 소용이야? 내가 무슨 나쁜 일을 했다고? 내게 왜 자비가 필요한 거지?'라는 생각이 들었습니다. 저는 그분이 그렇게 말씀하시는 이유나 의미를 전혀 이해할 수가 없었습니다. 양심이 완전히 무뎌진 까닭입니다. 완전히 잃어버린 것이지요. 이미 양심이 없었습니다!

하지만 그 순간 명확하게 깨닫게 된 한 가지가 있었는데 제가 죽는다는 사실입니다. 저의 마지막 순간이 온 것이었습니다. 그 순간 제 머리에 떠올랐던 유일한 생각은 '손가락에 끼고 있는 다이아몬드 반지들을 어떻게 해야 하나?'라는 것이었습니다.

그 반지들은 벼락에 완전히 타서 부풀어 오른 손가락에 꽉 끼여 있었습니다. 그래서 사람들이 제 손가락에서 그것을 잘라내거나 끄집어낼 때 손상될까 봐 크게 걱정되었습니다. 이런 생각을 하며 손의 반지들을 빼내려고 필사적으로 노력했습니다.

불에 탄 피부와 사지의 고통이 얼마나 심한지 당해 보지 않고는 짐작도 할 수 없습니다. 그러니 반지를 손가락에서 빼내려고 했을 때 그 고통이 얼마나 심했는지 상상할 수 없을 것입니다. 그러자니 손가락에서 살점이 떨어져 나갔습니다.

그래도 반지를 꼭 **빼야겠다는** 생각을 하며 악착같이 시도했습니다. 살면서 그토록 어려운 과제가 없었고, 그처럼 높은 목표가 없었습니다. 그때까지 사는 동안 제가 목적한 바나 마음먹었던 모든 것을 늘 이루었으니 말입니다. 그런 집념, 보다 정확한 표현으로는 이기주의적 강박관념을 그런 상황에서도 여전히 가지고 있었던 것입니다.

저는 저 자신에게 말했습니다. "만일 내가 죽기 전까지 내 반지들을 손가락에서 **빼낼** 수 없다면, 그게 한계일지도 모르겠다."

필사적인 노력에도 불구하고 결국 할 수 없게 되자 새로운 절망의 구름이 밀려 들었습니다. 이런 어두운 생각이 들었기 때문입니다. '하느님 맙소사! 이제 곧 죽게 되는구나. 그러면 분명 간호사들이 당장 내 값진 다이아몬드 반지들을 훔쳐서 감춰 버릴 거야!'

그때 갑자기 제 매부가 나타났기에, 드디어 안심을 하며 생각했습니다. '다행이야. 적어도 내 다이아몬드 반지는 안전하겠네!'

저는 그에게 제 반지를 부탁하며 이렇게 말했습니다. "우리 그이 페르난도에게 주세요. 그리고 여동생에게 내 아이들을 잘 보살펴 달라고 전해 줘요. 불쌍한 내 아이들이 이제 엄마 없이 살아가야만 하니 잘 부탁한다고요. 이번에는 살아나기 힘들 거라고 말해야겠네요. 나는 곧 죽을 것이 분명해요."

이렇게 말하고 나니 평화롭게 죽을 수 있을 것 같았습니다. 이처럼 제 영혼과 정신은 마지막 순간에도 자욱한 안개 속에 파묻혀 있어서 주님께서 제게 주신 그 빛을 결코 볼 수 없었습니다. 죽음을 확신한 가운데 제가 마지막으로 한 생각은 이것이었습니다. '하느님 맙소사! 현재 내 은행 잔고는 마이너스 상태인데 내 장례비를 어디서 구하나?'

이것이 양심을 상실하고, 하느님을 잃어버린 사람의 생각이며 말입니다. 이 세상에서의 마지막 생각과 순간을 세상의 시시콜콜한 것들에 써 버리고, 영생이나 영혼의 미래나 주님의 제안과 같은 것은 안중에도 없는 그런 사람의 사고방식입니다. 이처럼 자신을 거룩한 사람으로, 성덕을 다 갖춘 사람으로 여기는 즉시 그는 지옥의 길로 미끄러지거나 지옥으로 빠지는 데 일조하게 됩니다.

3

우리에게 주어진 두 번째 기회

여러분이 오늘 들은 것, 여러분이 방금 읽은 것은 여러분에게 주어진 두 번째 기회입니다. 저와 여러분이, 우리 모두가, 하느님의 무한한 선과 자비 덕분에 얻은 기회입니다. 그러므로 이 기회를 절대 놓치지 말고 이용하십시오. 아마 이것이 여러분에게 주어진 마지막 기회일 수 있습니다. 저도 하느님의 자비 덕분에 그 엄청난 사고에서 살아남을 수 있었습니다. 하느님의 자비 덕분에 제가 여러분께 이 모두를 전해 드릴 수 있게 된 것입니다.

"생명의 책"

하느님의 십계명에 따라 저의 삶을 샅샅이 살펴본 뒤, 저의 "생명의 책"을 볼 수 있는 허락을 받았습니다. 그 순간은 정말 놀라웠습니다. 그 "생명의 책"을 적절하게 묘사할 수 있는 말이 쉽게 떠오르지 않네요.

그 책은 제가 잉태되던 순간부터 시작되었습니다. 아버지와 어머니의 세포가 하나로 합해지는 순간, "착!" 하고 불꽃이 생겼습니다. 작지만 매우 아름다운 불꽃이었습니다. 거기서 제 영혼이 하느님 아버지의 손에 보호를 받으며 형성되었는데, 사랑이 지극하시고 매우 다정한 하느님 아빠, 아버지를 그 순간 보았습니다.

하루 24시간 내내 그분은 저와 함께 계셨고, 그분의 손으로 저를 이끄시며 보호해 주셨고, 늘 저를 위해 걱정하시며 제 뒤에 계셨습니다. 그분은 제게서 눈을 떼신 적이 없었으며 단 한 번도 저 홀로 내버려 두신 적이 없었습니다.

언뜻 보기에는 벌이나 큰 불행처럼 보였던 그 모든 것들이 제게 대한 그분의 사랑과 관심의 표현이었습니다. 왜냐하면 그분은 제 외모나 잘생긴 몸매를 보시지 않았기 때문입니다. 그보다는 저의 내면 깊은 곳을 보고 계셨으며, 제 영혼을 살펴보시고, 제가 그분의 길에서 천천히 그리고 확연히 벗어나게 되는 과정, 제가 그분의 도움과 구원을 뿌리치는 과정을 지켜보셨습니다.

그리고 "생명의 책"에서, 제 삶에 있었던 많은 상황들을 전체 맥락에서 볼 수 있었고, 자유의지에 따른 행동과 결정이 낳은 각각의 결과들도 보았습니다.

여러분의 이해를 돕기 위해 "생명의 책"이 얼마나 훌륭하고 신기한지를 보여 주는 한 예를 들겠습니다.

제 삶은 매우 거짓되고 위선적이었습니다. 저는 아첨하는 말투로 지인이나 친구들을 자주 치켜세우곤 했습니다. "우와! 오늘 정말 멋지게 입고 나왔네. 이 옷 정말 멋지네. 네게 정말 잘 어울려! 그렇게 입으니 얼마나 멋져 보이는지 몰라!"

하지만 "생명의 책"에는 이 말을 하는 그 순간 제 머릿속의 생각과 내면에서 일어나던 진심도 드러나 있었습니다. 제 마음은 이렇게 말하고 있었습니다. "어이구, 이런 몰골이 다 있나! 그런데도 자신이 미의 여왕이나 된 듯 착각하겠지!"

이것이 당사자는 모르지만 제 마음속 진심이었습니다. 이 "생명의 책"에서 사람들은 지난날의 사건들을 영화처럼 듣고 볼 수 있습니다. 저도 그 모든 것을 정확하게 보고 들었으며 제 머릿속 생각들도 명확하게 볼 수 있었습니다.

마치 두 채널 영화를 보는 듯, 또는 음성과 자막이 있는 영화를 보는 듯한 체험입니다. 두 채널로 같은 내용의 영화를 보는데 한 채널의 음성은 제가 그럴듯한 사이비 거룩함으로 내뱉은 말을 정확히 전달했고, 다른 채널의 음성은 같은 시각 제가 생각했던 것을 듣고 읽을 수 있도록 해 주어서 제 영혼이나 내적 상태를 동시에 볼 수 있었습니다. 정말 엄청난 경험이었습니다!

이처럼 저는 제 삶의 내면에 깔린 거짓과 진실을 모조리 보았습니다. 제가 저지른 모든 거짓 행동이 명백히 드러나 있었고, 마치 뚜껑 없는 냄비처럼 끓어올랐으며, 조금도 꾸밈없이 만천하에 드러나 누구나 알 수 있었습니다.

온 세상이 그것들을 볼 수 있었습니다. 제가 시선을 두는 즉시 그 한 가지씩 급히 되살아나서는 그때의 사실 그대로를 보여 주었습니다. 제가 얼마나 자주 제 어머니를 가지고 놀았으며 어머니를 비열하게 속였는지도 볼 수 있었습니다. 어머니는 제가 "나쁜" 친구들을 만나지 못하도록 하기 위해 종종 외출을 허락하지 않았는데, 사실 그것은 옳은 판단이었습니다. 하지만 저는 "엄마, 학교 도서관에서 공동 작업을 할 게 있어 나가요."라는 말을 던지고는 쏜살같이 사라져 버렸습니다. 그러면 어머니는 심기가 불편했지만 감쪽같은 제 거짓말을 그대로 받아들였습니다.

이런 거짓말을 수단으로 얼마나 많은 시간을 허비했는지 모릅니다. 여러 친구들 집을 옮겨 다니며 포르노 영화를 보았으며, 친구들과 술집을 쏘다니며 맥주를 퍼마시기도 했습니다.

이제 제 어머니도 "생명의 책"에서 만천하에 드러난 그 모든 사실을 보셨습니다. 하나도 빠뜨림 없이 말입니다.

제가 "생명의 책"에서 보았던 또 한 가지 일화가 있습니다. 학교에서 점심시간에 먹으라며 부모님께서 늘 바나나를 챙겨 주셨습니다. 그 당시 우리는 매우 가난하게 살고 있었기에, 제

도시락엔 늘 바나나뿐이었고, 가끔 빵조각과 우유를 가져갔습니다. 저는 등굣길에 이미 바나나를 먹어 치우고는 그 껍질을 그냥 아무런 생각 없이 아무데나 버렸습니다. 어떤 길이든지 상관없었습니다.

조심성 없이 버린 미끄러운 바나나 껍질로 무슨 일이 벌어질수 있는지, 다른 사람들에게 어떤 해를 끼칠 수 있는지 헤아린적이 한 번도 없었습니다. 그러니 제가 무심코 던져 버린 바나나 껍질이 그냥 주변에 나뒹굴고 있었습니다.

이렇게 바닥에 던져진 껍질 때문에 몇 번이나, 물론 매번 그런 것은 아니지만, 어떤 일이 벌어졌는지 주님께서 제게 보여주셨는데, 정말 놀랍고 가슴 아픈 장면이었습니다. 바나나 껍질에 미끄러져서 넘어졌던 사람들을 보니, 몇 번인가는 심하게 넘어져서 목숨까지 위태로울 뻔했으며, 만일 그 사람이 목숨을 잃었더라면 제가 그 책임을 져야 했을 것입니다.

이 모든 것이 제게 주변 사람들에 대한 배려심이 없었고, 책임감과 자비심이 결여된 때문이었습니다.

이런 일도 있었습니다. 한번은 슈퍼마켓에서 물건을 사고 계산을 하는 중 여자 계산원이 실수로 4,500페소나 되는 돈을 제게 더 많이 거슬러 준 적이 있었습니다. 저는 이것을 제대로 깊게 뉘우치거나 제 잘못에 대해 진정으로 괴로워하면서 고해성사를 받지도 않았습니다.

저희 아버지는 존경받는 삶을 살아야 한다고 자녀인 우리들에게 항상 가르쳤고, 가난해도 한 사람의 명예를 고귀한 자산으로 생각해야 한다고 하셨습니다. 특히 우리 자신의 명예를 말입니다. 몇 센트도 안 되는 적은 돈이라고 하더라도 다른 사람의 돈에 절대로 손을 대서는 안 된다고 하셨습니다.

그래서 이처럼 계산에서 착오가 생겼을 때, 저는 제 진찰실로 운전해 가는 중에 그 착오를 알아채고는 혼잣말로 이렇게 중얼거렸습니다. "어이구, 이 주책바가지 아줌마! 이 멍청한 여자가 나한테 4,500페소를 더 많이 거슬러 주지 않았더라면, 내가 돈을 돌려주러 되돌아가는 일이 생기지 않을 텐데!"

그래서 다시 슈퍼마켓으로 되돌아가려는데 엄청난 교통체증에 걸렸습니다. 자동차의 라디오에서 들으니 제 주변이 다 막혀서 자동차들이 꼼짝을 못한다고 했습니다. 그래서 다시 이렇듯 뻔뻔하게 생각하며 중얼거렸습니다. "어이구, 지옥이 따로 없군. 이까짓 계산도 제대로 못하는 주책바가지 같은 아줌마 때문에 내 값진 시간을 허비해야 된다는 게 말이 되나? 아무도 그녀에게 그렇게 바보같이 잘못 계산하라고 한 사람이 없는데! 이런 상황에서는 도저히 돈을 돌려줄 수 없으니 그냥 집에 가야겠다! 이 모든 게 다 자기 책임이잖아."

하지만 이런 핑계에도 불구하고 거스름돈에 대해 일말의 양심의 가책이 있었습니다. 저희 아버지가 바로 명예심의 기본에 관해 그렇게 자주 분명하게 강조하셨고, 제가 그런 성격을 지니도록 하셨기에, 저는 그 다음 일요일에 고해실로 가서 신부님께 고백했습니다. "존경하는 신부님, 저는 죄를 지었습니다. 원래 그 여자의 돈이었던 4,500페소를 돌려주지 않고 제가 가졌습니다."

그러고는 고해성사를 주시던 신부님께서 제게 무슨 말을 하셨는지, 어떤 훈계를 하셨는지 전혀 귀담아 두지 않았습니다.

제가 이 장면을 "생명의 책"에서 보았을 때, 이 고해성사로 인해 악한 사탄이 저를 더 이상 죄로 뒤집어씌우지 못했고, 저를 도둑으로 내몰 수 없었습니다. 이 사실을 여러분이 반드시 알아두실 필요가 있습니다. 제가 그 사실을 고백하긴 했기 때문입니다.

그러나 주님께서 이에 관해 제게 어떤 말씀을 하셨는지 여러분께 알려 드리겠습니다. "이날의 네 행동에는 이웃 사랑이 없었으며, 네 죄를 속죄하지 않았던 것 역시 올바른 행동이 아니다. 네게 4,500페소는 푼돈이어서 쉽게 써 버릴 수 있는 액수지만, 쥐꼬리만한 월급을 받는 그 불쌍한 여자에게는 그렇지 않다. 그녀는 아이들을 집에 남겨 둔 채 반나절을 일해야만 겨우 먹고살 수 있는 처지에 있다. 이런 그녀에게 4,500페소는 사흘 치 생계비, 사흘 간 온 가족이 먹고살 수 있는 돈이었다."

그런데 그 말씀을 하시며 주님께서 다음과 같은 장면을 보여 주셨을 때, 제 자신이 너무나 비참해졌으며 마음이 너무 아팠습니다. 그 일로 인해 그녀가 아이들과 함께 정말 고통을 당하는 모습, 그 가족들이 며칠간 굶주림에 시달릴 수밖에 없었던 장면을 제 눈으로 똑똑히 볼 수 있었습니다.

이 모든 것이 제 잘못이었고, 제가 지은 죄의 결과였습니다. 그녀는 어린 자식들과 함께 이 모든 것을 견뎌내었고, 또 이 일로 슈퍼마켓 계산대의 일자리를 잃을까 봐 걱정해야만 했습니다.

우리 주님께서는 "생명의 책"에서 이 정도까지 우리의 행동을 밝혀 주십니다. 우리가 언제 무슨 일을 했는지, 우리의 행동으로 누가 고통을 겪어야만 했는지, 누가 그 결과를 뒤집어썼는지, 그 일로 고통을 겪은 주변 사람들이 어떻게 되는지, 그 사람이 그 일로 어떻게 살게 되는지, 그 사람이 무슨 일을 하는지를 주님께서 보여 주십니다.

주님의 최종 질문과 질타

최종적으로 주님께서 제게 물으셨습니다. "너는 나에게 어떤 영적 보물들을 가지고 왔니?"

저는 곰곰이 생각했습니다. '영적 보물들이라니? 무슨 의미일까?' 그때 저는 그분 앞에 빈손으로 서 있었으며, 제 손에는 아무것도 없었고, 제 어깨에도 아무것도 걸친 게 없었습니다.

그 순간 주님께서 말씀하셨습니다. "네가 아파트 두 채를 가지고 있었고, 집 몇 채가 있었고, 심지어 네 소유의 진찰실 몇 개가 있었다는 게 지금 네게 무슨 소용이 있느냐? 네가 아주 우수한 치과 전문의로 인정받은 성공한 의사라는 것이 네게 지금 무슨 소용이 있느냐? 네 건물 벽돌의 먼지 조각 하나라도 가져올 수 있었느냐? 혹시 돈이 잔뜩 들어 있는 네 지갑이나 두꺼운

수표책을 가지고 왔느냐?"

그리고는 이렇게 물으셨습니다. "내가 너에게 준 달란트로 무엇을 했느냐?"

저는 생각했습니다. '달란트라니? 무슨 의미일까? 무슨 말씀을 하시려는 걸까?' 하지만 그 순간 이해했습니다. 알아들었습니다. 그렇습니다. 저는 사명을 받았던 것입니다. "사랑의 왕국", "하느님의 왕국"을 지키고 키우라는 사명 말입니다.

제가 영혼을 지니고 있었다는 사실을 그냥 잊어먹고 있었으며, 더군다나 달란트를 받았다는 사실도 기억하지 못했습니다. 하느님께서 주신 달란트는, 제가 하느님 자비의 도구이어야 하며, 그분의 자비로우신 손발이 되어 활동해야만 하는 능력이었습니다. 그런데 제가 선행을 소홀히 하고 실천하지 않아서 주님께 엄청난 고통과 근심거리를 안겨 드린 사실에 대해 저는 결산을 하지 않았던 것입니다.

주님께서는 제 인생에서 너무도 많았던 모순을 제 앞에 보여 주셨습니다.

"육신의 아름다움을 가꾼다고 써 버린 그 많은 돈으로 너는 너무도 많은 자선을 할 수 있었지 않느냐? 너를 육신의 노예로 만들고 네 육신을 괴롭혔던 그 다이어트가 네게 무슨 도움이 되었느냐?"

"너는 네 자신을, 네 육신을 '황금 송아지' 우상으로 만들어 버렸다. 이 모든 것이 지금 여기서 무슨 소용이 있느냐? 너는 이웃에게 많은 것을 내어 주었다. 그건 사실이지만, 단지 사람들이 네게 감사하도록 하기 위해서, 네가 얼마나 착한 사람인지 그들에게 알리기 위해서 한 행동에 지나지 않았다."

"너는 사람들이 네게 호의를 베풀도록 하기 위해서 그들 모두를 네 돈으로 조종했다. 그런데 네가 영생을 위해서는 지금 무엇을 가져왔는지 말해 보려무나! 내가 마지막으로 재정 파탄으로 너를 덮쳤을 때, 그것은 네가 생각한 것처럼 벌이 아니었다. 아니 축복이었다. 그 파탄으로 너를 네 자신의 우상, 네가 섬겼던 '황금 송아지'에서 해방시키기 위한 것이었다. 그 파탄은 너를 내게 돌아오게 하기 위한 나의 방법이었다."

"하지만 너는 반항했고, 저항했으며, 상승된 사회적 지위를 떠나 내려오려고 하지 않았다. 너는 저주를 퍼붓고, 욕을 하며, 남 탓을 했다. 너는 돈의 노예, 배금주의의 노예가 되었다."

"너는 자신의 능력으로 모든 일을 할 수 있다고 생각했고, 모든 것을 네 자신의 땀과 노력으로 직접 이루었다고 믿었다. 너는 무슨 일이든 다른 사람보다 더 잘할 수 있다고 생각했었지. 하지만 아니다! 수많은 학자들과 교육받은 사람들이 너만큼, 아니 너보다 더 열심히 일을 하고 잘했지만, 그럼에도 네가 이룬 것만큼 달성하지 못한 이들이 얼마나 많은지 한번 보려무나. 네가 많이 받았기 때문이며, 그렇기에 지금 네게 더 많은 것을 요구하는 것이다."

여러분, 명심하십시오! 제가 낭비한 쌀알 한 톨마다 하느님께 해명해야만 했습니다. 제가 쓰레기통에 버린 모든 음식들도 마찬가지였습니다.

"생명의 책"에서 저는, 제가 어린아이였을 때 점심으로 나온 콩들을 먹기 싫다고 어머니 몰래 내다 버렸던 장면도 보았습니다.

당시 우리는 매우 가난했습니다. 그때 어머니는 저의 빈 접시를 보고는, 제가 매우 배가 고파서 그렇게 황급히 먹었다고 생각하셨습니다. 어머니는 제가 몹시 배가 고픈 줄로 아시고는 당신의 몫을 포기하고 아무것도 드시지 않은 채 이 딸에게 한 접시를 더 주기까지 하셨습니다.

또한 문 밖에 구걸하러 온 불쌍한 사람이 있으면, 어머니는 종종 끼니를 거르셨습니다. 하지만 아무도 그것을 눈치 채지 못했고, 어머니는 한 번도 찌푸린 얼굴을 보이지 않았으며, 오히려 늘 미소 띤 얼굴을 하고 계셨습니다.

후일 제가 많은 돈을 벌었을 때, 얼마나 많은 파티를 열어서 사람들을 초대했고, 성대한 뷔페를 제공했는지 주님께서 당사자인 제게 보여 주셨습니다. 파티 후에는 그 음식 중 절반을 쓰레기통에 버렸지요. 제 주변에는 그토록 가난하고 굶주린 사람들이 많았는데도 말입니다. 그런 일로 단 한 번도 양심의 가책을 느끼지 못했습니다.

이 장면을 보여 주시던 중 주님께서 이에 관해 말씀하시며 거의 소리를 지르셨습니다. **"나는 배가 고팠다!!!"**

주님께서는 당신 자녀들이 처한 어려움으로, 또 어려운 이웃을 도울 수 있는데도 돕지 않은 이들의 무관심으로 인해 당신이 겪으신 고통을 제가 느끼도록 해 주셨습니다.

또한 제 집에 얼마나 많은 물건들이 있었는지 주님께서 보여 주셨습니다. 멋진 물건들이 쌓여 있었습니다. 모두 값비싼 상표의 상품들이었고, 최고 명품 의류들, 우아한 속옷, 최상의 물건들이 가득했습니다.

그리고는 주님께서 말씀하셨습니다. **"나는 바로 네 곁에서 헐벗고 있었는데, 너는 옷장 가득 넘치게 낭비하며 살았다. 그렇게 많은 옷들이 있었는데, 전혀 입지 않은 것도 많았다."**

저는 아는 사람들이 제게 없는 물건을 가지고 있거나 제 것보다 더 좋은 물건을 가지고 있을 때면, 질투심이 나서 그것보다 훨씬 좋은 것을 장만하곤 했습니다. 저는 늘 시기심으로 가득 차서 누구보다도 앞서고 싶었고, 모든 이의 시선을 끌 수 있는 최고의 가치를 자랑하는 명품을 가지고 싶었습니다.

"남의 떡이 더 커 보인다."라는 말처럼 비교는 시기를 낳습니다. 하지만 의식적으로 주변 사람의 시기를 유발하는 것도 죄이며, 누군가의 질투를 유발하는 행동을 의식적으로 하여 그것을 즐기는 것도 죄입니다.

주님께서 제게 말씀하셨습니다. "너는 교만했고, 너보다 더 높은 지위나 부를 소유한 사람들과 늘 너 자신을 비교했다. 그러면서 너보다 못한 사람들은 거들떠보지도 않았다. 네가 가난했을 무렵, 너는 선한 사람이었지. 심지어 네게 부족한 것조차도 진심으로 나눠 주었다."

주님께서 그 일이 흡족하셨다는 것을 보여 주셨습니다. 당시 저는 새로 산 테니스화를 거리에서 만난, 신발이 없던 한 남자아이에게 주었습니다. 하지만 아버지께서는 매우 힘들게 제게 신발을 장만해 주셨기에, 제대로 불호령을 내렸습니다. 정말 화가 나셨던 것이죠. 먹고살 것도 넉넉지 않았는데, 새 신발을 남에게 주어 버렸으니 당연했습니다.

하지만 주님의 시선으로 볼 때 그건 칭찬할 일이었습니다. 비록 우리 가족이 매우 힘들게 살았지만, 하느님께서는 당시 우리 가족에게 매우 큰 축복을 내리셨습니다. 그리고 제가 만일 그분을 떠나지 않았더라면 받았을 은총을 얼마나 많이 준비해 놓고 계셨는지, 제가 얼마나 많은 사람들을 도울 수 있었는지를 보여 주셨습니다.

주님께서 말씀하셨습니다. "나는 네가 그들을 어떻게 도울 수 있을지를 네게 알려 주었고 보여 주었다. 계속 다른 나쁜 결과를 불러오는 사악함에 네가 빠지지 않았더라면 말이다."

하느님께서는 우리를 엄격하게 대하십니다.

계속해서 주님께서 제게 보여 주셨습니다. **"그런데 봐라. 만일 네가 이 젊은이를 위해 기도했더라면, 그는 자살하지 않았을 것이다. 네가 그 사람을 위해 기도했더라면, 그는 좌절해서 죽지 않았을 것이다. 그를 위한 다른 길이 열렸을 것이다."**

하지만 저는 단 한 번도 성령에 감화된 적이 없었습니다. 다른 사람의 어려움에 마음이 움직인 적이 한 번도 없었습니다. 제 마음은 돌처럼 굳어 있었습니다. 저는 제 마음을 주님 은총의 물결에 열어 놓을 수도 없었고 그러기를 원하지도 않았습니다. 주님의 집으로 돌아가려고 할 때 가장 중요한 첫 번째 단계는 은총을 위해, 주님을 위해 마음을 온화하게 하고 주님께 마음을 여는 것입니다.

주님께서 제게 말씀하셨습니다. "내 백성들의 고통을 보아라. 네가 측은지심을 배우도록 하기 위해 네 가족을 암으로 고통 받게 했을 때, 네가 절박하게 받아들이긴 했느냐? 너는 네 남편이 체포되어 감옥에 갇혀야 비로소 연민의 감정을 갖게 될 것이다."

주님께서 거의 소리를 지르셨습니다. "너는 돌처럼 굳은 사람이어서 사랑할 능력이 없었다!"

제가 얼마나 변변치 못한 딸이었는지 이미 말씀드렸듯이 저는 부모님께 매우 비열하고 불경한 사람이었습니다. 저는 아버지를 "부싯돌 페드로"라고 불렀는데, 아버지가 아직 석기시대에 살고 있다는 의미였습니다. TV 만화시리즈인 '플린트 스톤'에서 따온 것입니다.

그리고 어머니를 "세련되지 못하고 유행에 뒤처진 구닥다리 사람이며 별천지에서 온 사람"으로 비유했습니다. 그렇습니다. 어머니가 세련된 계층에 속한 사람이 아니라는 이유로 어머니를 부끄러워하며 욕하는 지경까지 갔습니다. 여러분께 말씀드린 것처럼, 어머니는 당신의 딸인 저를 위해 열렬하게 기도하셨고 저를 보살피려 노력하셨는데 말입니다.

하지만 어머니 덕택에 제가 얼마나 많은 은총을 받았는지 상상할 수 없을 정도입니다. 저뿐만 아니라 세상 전체가 말입니다. 어머니는 성당에 가서 당신의 고통을 예수님께 온전히 바쳤습니다. 어머니는 진정 마음을 다한 신앙생활을 하셨습니다. 어머니는 모든 성인들께 기도하면서 많은 시간을 보내셨습니다. 그리하여 어머니는 수없이 많은 은총의 중개자가 되셨습니다.

주님께서 제게 말씀하셨습니다. "네 어머니가 너를 사랑한 만큼 너를 사랑한 사람은 없으며, 네 어머니처럼 너를 사랑할 사람도 없다. 네 어머니처럼 네게 그토록 관심을 두고 너를 사랑한 사람은 결코 없을 것이다."

하느님 사랑의 부재, 영혼의 죽음

주님께서 계속적으로 제게 질문하셨던 내용을 여러분이 아실 필요가 있습니다. 주님께서는 사랑, 헌신적이고 아무런 조건에 매이지 않은 사랑에 대해 계속해서 질문하셨습니다. 그리하여 주님께서 표현하신 그 사랑, 그 "카리타스Caritas", 그 자비, 그러한 "이웃 사랑"이 제 안에 없었다는 사실들을 그제야 제대로 인식할 수 있었습니다.

지금까지 제 삶의 모든 순간과 사건들을 집약해서 바라본 결과를 토대로 생각해 보면, 우리 모두가 태어나면서부터 그분에게서 받았던 사명과 달란트인 '하느님 사랑'을 살아가면서 잃어버렸습니다. 그리하여 우리는 그것의 부재不在 상태에 있습니다.

주님께서 제게 이렇게 설명하셨습니다. "알겠느냐, 네 영적 죽음을? 네 영혼은 이미 죽었다는 것을?"

그제야 매우 분명하게 알게 되었습니다. 제 육신은 아직 살아 있으며 숨을 쉬고 있지만, 사실 저는 오래 전에 죽었다는 것을. 제 영혼은 이미 죽었으며, 그것도 질식해 죽었습니다. "영적 죽음"은 영혼이 죽은 것이며, 영혼이 질식해 죽은 것입니다.

모든 것에 증오심을 느끼는 영혼의 모습이 어떠한지 보셔야 합니다. 그 영혼에서 어떤 전율과 어떤 공포가 솟아 나오는지 보게 된다면…. 그것을 보는 것만으로도 고통이며, 정말 불쾌하여 참기 힘들 정도입니다. 그런 영혼은 어떻게 하든 전 세계를 더 악하게 몰아가려고만 합니다. 무거운 죄를 안고 있는 영혼도 그와 마찬가지입니다.

제 영혼이 그 본보기였습니다. 저는 외적으로 볼 때 값비싼 향수 냄새를 풍기며 비싼 옷을 걸치고 있었지만, 그 안에 있던 제 영혼은 지독한 악취를 풍기며 인간과 악령의 사악함의 극치에서 어슬렁거리고 있었습니다.

제가 늘 우울증에 시달렸고, 나쁜 기분에 사로잡혀 있을 수밖에 없었던 것은 당연했으며, 그럴 수밖에 없었습니다. 하느님께서는 이렇게 말씀하셨습니다.

"네 영적 죽음은 바로 네가 다른 사람들과 그들의 고통에 대해 전혀 무관심해지면서 시작되었다. 너는 그들에 대해 그냥 아무런 감정이 없었다. 내가 다른 사람들의 고통, 전 세계에서 일어나는 수많은 사건과 사고들을 네 눈앞에 보여 주었을 때, 그것은 네게 대한 나의 경고였고, 네게 경고음을 울리기 위해서였

다. 네가 텔레비전이나 다른 언론 매체를 통해 사람들이 납치되어 살해당하고, 폭탄에 찢겨져 나가고, 내쫓기게 된 모습을 볼 때면, 너는 종종 그냥 피상적인 언급만 입 밖으로 내뱉었지. '어휴 이 불쌍한 사람들! 그들에게 이런 짓을 하다니 얼마나 큰 죄야!' 하지만 너는 그들의 고통에 아무런 연민도 가지지 않았다. 돌처럼 굳어 버린 네 마음에 그런 감정이 들어갈 수 없었지. 그들의 운명이 네게 부딪혀 박살이 났었다. 네 마음으로는 아무것도 느낄 수 없었다. 네 마음은 돌처럼 딱딱했고, 얼음장처럼 찬 벼랑이었다. 네가 지은 죄로 인해 네 심장은 돌처럼 굳어 버렸고, 얼음덩이처럼 차갑게 변해 버렸다!"

마침내 제 "생명의 책" 겉장을 덮었을 때, 표현하기 힘들 정도로 큰 부끄러움과 슬픔이 제게 밀려들었습니다. 하지만 제가 살아가는 동안 창조주 하느님 아버지께 얼마나 사악하고 배은망덕하게 행동했는지를 깨닫고는 그것을 몹시 후회하면서 느낀 고통은 그보다 훨씬 더 엄청났으며 견디기 힘들 정도였습니다.

왜냐하면 제가 지은 모든 대죄, 특히 너무도 불결한 정신과 타인에 대한 지독한 무관심과 가혹하고 비열한 모든 감정에도 불구하고, 주님께서는 항상 저를 찾으셨기 때문입니다. 마지막 순간까지도 찾아 오셔서 저를 따라다니시면서 제가 당신께로 되돌아가려는 의지를 표현하는 순간을 기다리셨습니다.

주님께서는 당신의 도구인 사람들을 늘 제 인생의 여로에 보내셔서 저와 마주치게 하셨습니다. 그리하여 그들을 통해 제 마음을 움직이고, 제가 당신께 돌아올 수 있게 배려하셨습니다.

당신의 도구로 쓰신 사람들을 통해 제게 말을 걸어오셨고, 당신께 주의를 돌리도록 하셨고, 종종 아주 큰 소리로 저를 부르셨습니다.

또한 제 삶을 반성할 수 있도록 제게서 많은 것을 빼앗아 가셨습니다. 제게 시련과 힘든 시간을 주셨습니다. 제가 인생의 모든 것에 크게 실망하도록 어려움도 안겨 주셨습니다. 이 모든 것이 오로지 저를 당신께 다시 돌아오게 하기 위해, 저를 올바른 길로 인도하기 위해, 아버지의 집으로 인도하기 위해 하신 일이었습니다.

주님께서는 마지막 순간까지 정말이지 모든 방법을 다 동원하며 저의 의지 표현을 기다리셨습니다. 그분께서는 단 한 번도 제 자유의지를 꺾으신 적이 없습니다. 제가 그 수많은 부르심과 기다림을 깨닫고 제 자유의지로 올바른 결정을 내리도록 기다리셨습니다.

여러분은 우리 아버지이신 하느님이 어떤 분이신지 압니까? 그분은 마치 구걸을 하기 위해 따라다니는 거지처럼 우리 삶의 여로에서 바로 우리 옆에 서 계십니다. 그러면서 마치 거지처럼 항상 우리에게 끊임없이 애걸하시고, 우리 뒤를 따라오시며, 종종 귀찮게도 하십니다. 그분은 돌처럼 굳어 버린 우리 마음을 부드럽게 하시려 울기도 하십니다. 우리가 당신을 냉대하고 당신께 신경도 쓰지 않거나 못 본 체할 때마다, 그분은 그 거룩한 성심 깊이 슬픔을 느끼십니다.

그분은 자주, 마치 십자가에서 그러셨던 것처럼 당신을 낮추십니다. 우리가 회개하여 변화됨으로써 아버지의 집으로 돌아오게 할 목적으로 말입니다.

그런데도 저는 그분께 이렇게 말했습니다. "그런데 주님, 저를 지옥에 떨어뜨린 분이 주님 아니신가요?"

이 말을 할 때 제가 얼마나 비겁했는지 깨닫게 되었습니다. 전혀 이치에 맞지 않는 말이었습니다. 왜냐하면 그분께서 저를 벌하신 게 아니라, 이미 제 자유의지로 모든 죄악을 저질렀기 때문입니다.

제가 추구하는 즐거움과 쾌락에 따라, 하느님께서 모든 사람에게 주셨고 또 그것을 언제나 존중하신 자유의지에 따라 제가 직접 결정한 것이 분명했습니다. 제 아버지와 그 일족을 제가 선택했던 것입니다.

제가 선택한 아버지는 하느님 아버지가 아닌 사탄과 그 졸개들이었습니다. 저는 그것들을 제 삶의 아버지이며 지도자로 받들었습니다. 사탄의 의지와 거짓말에 따라 제 삶의 방향을 정했습니다. 그와 그의 속임수가 가련한 제 인생의 유일한 의미였습니다.

제 "생명의 책"을 덮자, 제가 여전히 저 아래 끔찍한 암흑의 지옥 언저리에 매달려 있다는 사실을 깨닫게 되었습니다. 그리고 제가 분명 아무런 저항도 못하고 어쩔 수 없이 그 어두운 구멍으로 떨어지게 될 것이라는 생각이 들었습니다. 그곳 끝에는 문이 하나뿐이니, 거기를 통해 "영원한 암흑"으로 들어가면 다시는 아무도 보지 못하게 될 것이라는 생각도 들었습니다.

그러자 절망감이 밀려들면서 저는 온 힘을 다해 필사적으로 소리치며 도움을 구하기 시작했습니다. 모든 성인들께 저를 구해 달라고 애원했습니다. 그 순간 갑자기 헤아릴 수 없을 정도로 많은 성인들이 나타났습니다. 제가 그렇게도 많은 성인들과 성인의 이름을 알고 있었는지 전혀 몰랐습니다. 저는 미지근한, 아니 정말 나쁜 가톨릭 신자였기에….

하지만 그 순간엔 구출되어야 한다는 생각밖에 없었습니다. 노동자인 성 요셉이든, 아시시의 성 프란치스코이든, 또는 그 누구든 전혀 상관이 없었습니다. 중요한 것은 저를 구해 주는 것이었습니다. 결국 제가 알고 있는 성인들의 이름이 끊기면서 더 이상 이름이 생각나지 않았기에 갑자기 다시 죽음에 든 것처럼 고요해졌습니다.

그런 적막 가운데 저는 다시 형언할 수 없는 고통을 느꼈습니다. 위로가 없는 공허함을 느꼈던 것입니다. 저는 혼자이고 완전히 버림받은 것 같았습니다. 그러면서, 지상에서는 저를 아는 모든 사람들이 분명 저를 "착한 사람", "아름다운 여자", "거룩한 사람"으로 기억할 것이라는 생각이 들었습니다. 이런 명성은 제가 직접 쌓아 올린 것이며, 제가 만든 껍데기에 불과했습니다.

하지만 그들 모두 저 때문에 슬퍼하면서도, 저의 "거룩함"에 대해 이야기하고, 자기들의 "성녀"가 될 것이 분명한 제게 이런저런 기적을 청하기 위해 저의 죽음을 기다리고 있었습니다.

그런데 보다시피 저는 너무도 불행한 처지에 있었습니다. 지상에서 슬퍼하며, "분명 성녀가 될" 저의 죽음을 기다리는 사람들 중 아무도 제가 얼마나 가망 없는 상황에 처해 있는지 상상조차 할 수 없었습니다. 저는 영원한 저주 직전에, 지옥으로 가기 직전에 있었는데, 지상의 지인들은 전혀 눈치 채지 못했습니다.

이런 생각이 머리를 스치자, 제 처지와 지상에 남겨진 사람들이 느끼는 슬픔 사이의 간극을 이해할 수 없어 고개를 갸우뚱거렸습니다. 그러면서 위쪽으로 눈을 돌렸고, 제 어머니와 시선이 마주쳤습니다. 우리는 서로의 눈을 똑바로 쳐다보았지요.

엄청난 고통을 느끼며 어머니께 소리쳤습니다. "엄마! 이건 너무 치욕적인 일이에요. 그들이 저를 지옥으로 내몰고 있어요. 제가 지금 갈 수밖에 없는 그곳으로 말이에요. 그곳에서 저는 다시 돌아오지 못하고, 우리는 다시 볼 수 없을 거예요."

그 순간 어머니께 크고 놀라운 은총이 내렸습니다. 어머니는 그때까지 전혀 움직일 수 없었고 굳은 자세로 계셨습니다. 그런데 갑자기 당신의 두 손가락을 위로 올릴 수 있게 되었고, 제게 위를 쳐다보라는 분명한 몸짓을 보이셨습니다. 그 순간 제 눈에서 두 개의 큰 껍질이 떨어져 나갔는데, 엄청나게 아팠습니다. 그것들로 인해 제가 그동안 영적으로 장님이 되었던 것입니다. 그런데 그것들이 떨어져 나가자 저는 갑자기 형언할 수 없도록 아름다운 장면을 보았는데, 그 가운데 우리 주 예수 그리스도께서 서 계셨습니다.

그와 동시에 언젠가 제가 진료하던 어느 환자가 제게 했던 말이 생각났습니다. "의사 선생님, 귀담아 새겨 두셔요! 선생님은 지금 매우 만족스런 생활을 하고 있지만, 언젠가 제가 지금 선생님께 하는 이야기를 상기하게 될 겁니다. 매우 처절하게 그 필요성을 느끼게 될 겁니다. 선생님이 가장 위험할 때, 이 말을 기억하지 못할 수도 있습니다. 어떤 위험에 처할지는 전혀 중요하지 않습니다. 그러니 그런 상황에 처하게 되면, 무조건 우리 주 예수 그리스도를 찾고 그분의 고귀한 성혈로 선생님을 덮어 보호해 달라고 기도하세요. 이렇게 하면 주님께서는 선생님을 결코 홀로 내버려 두시지 않을 거예요. 주님께서 당신의 고귀한 성혈로 선생님과 선생님 영혼의 구원 대가를 지불하셨기 때문입니다!"

불현듯 이 말이 생각나자 마음에 큰 회한과 고통을 느끼면서 목청껏 외치기 시작했습니다. "주 예수 그리스도님, 저를 불쌍히 여기소서! 저를 용서하소서! 주님, 저에게 두 번째 기회를 주소서! 두 번째 기회를 주소서!"

중재기도의 위력

그러자 제가 여기까지 전했던 모든 체험의 순간 중 가장 아름다웠던 순간이 제 앞에 펼쳐졌습니다. 그 순간을 제대로 표현하려니 숨이 멎는 듯하고 말문이 막힙니다.

우리 주 예수 그리스도께서 내려 오셔서 그 시꺼멓고 끔찍한 수렁에서, 그 무섭고 두려운 구렁에서 저를 꺼내 주셨습니다. 그분께서 제 손을 잡고 데리고 가실 때, 그 수많은 해충들과 구역질나고 역겨운 짐승들과 저를 따갑게 파고들던 얼룩들이 제 몸에서 떨어져 나갔습니다. 그 순간 저 아래 바닥을 보니 온통 이런 찌꺼기 천지였습니다.

그분께서 저를 위로 들어 올리시고는, 이미 앞에서 설명한 그 평탄한 지점으로 데리고 가셨습니다. 인간의 말로는 도저히 표현할 수 없는 무한한 사랑으로 그분께서 제게 말씀하셨습니다. "너는 지상으로 되돌아가게 될 것이다. 너는 두 번째 기회를 얻을 것이다."

하지만 이어서 매우 엄격하게 말씀하셨습니다. **"네가 지상으로 되돌아가는 은총을 받는 것은 네 가족이나 친구들이 기도를 많이 해서 그런 것이 아니다. 네 가족이나 너를 소중히 여기는 사람들이 너를 위해 기도하며 내게 애원하는 것은 지극히 당연한 일이기 때문이다. 너는 네 혈육이 아닌 사람들, 네 가족이 아닌 사람들의 많은 기도 덕분으로 되돌아갈 수 있게 되었다. 네가 전혀 모르는 수많은 사람들이 심장이 끊어질 정도로 애절하게 울면서 영혼 깊이 내게 기도했고, 너를 위한 크나큰 사랑과 연민의 감정으로 그들의 마음을 내게 드높이 올렸기 때문이다."**

그 순간 저는 수많은 빛이, 헌신적이고 순수한 사랑으로 가득 찬 작고 하얀 불꽃들이 빛을 발하는 것을 보았습니다. 그리고 저를 위해 기도하는 수많은 사람들이 갑자기 제 앞에 보였습니다.

그것은 중재기도의 힘을 보여 주는 것이었습니다. 그 모든 빛들은 벼락을 맞은 저에 관한 소식을 신문, 라디오, 텔레비전 등에서 접했던 수많은 사람들이었습니다. 이 소식을 듣고 가슴 아파하거나 눈물을 흘렸던 사람들, 우리 주님께 저를 위해 화살 기도를 바쳤던 사람들, 진정으로 함께 아파했던 사람들이었습니다. 그들 중 상당수 사람들이 그토록 애절한 기도를 바쳤고 저의 구원을 위해 기도와 미사를 봉헌했던 것입니다. 우리가 누군가를 위해 할 수 있는 가장 큰 선물은 미사 봉헌이라는 사실을 여러분은 꼭 명심하셔야 합니다. 왜냐하면 미사성제는 사람이 만든 것이 아니라 하느님께서 만드신 것이며, 이 세상에 하느님께서 직접 개입하신 결과이기 때문입니다.

그런데 이들 불꽃 중 하나가 유난히 컸고, 수많은 불꽃들 가운데서 두드러지게 빛나고 있었으며, 훨씬 더 밝은 빛을 발하고 있었습니다. 그것은 기도에 헌신적이고 진정한 이웃 사랑을 보여 준 한 인물의 불꽃이었습니다.

그래서 저는 생판 남인 저를 위해 그토록 진한 사랑을 보여 준 그 사람이 누군지 궁금했습니다. 그러자 주님께서 제게 설명해 주셨습니다. "저기 보이는 저 사람은 너와는 전혀 모르고 낯선 사이인데도, 너에 대해 그토록 크고 깊은 연민과 따뜻한 사랑을 느꼈단다. 보기 드문 일이지."

이 말씀을 하신 후 주님께서 이 일이 어떻게 일어났는지 보여 주셨습니다.

그 가난한 남자는 인디언 혈통을 받은 사람으로 매우 가난하고 평범한 시골 농부였습니다. 그의 가족이 먹을 양식이 풍족했던 적이 한 번도 없을 정도로 가난했습니다. 더욱이 그 해 수확을 대규모 화재로 망쳤기에 먹고살기 위해서 닭을 몇 마리 키우고 있었는데 그마저도 여우에게 도둑맞은 사람이었습니다. 또한 엎친 데 덮친 격으로, 게릴라들에 의해 아들을 납치당하기도 했습니다. 소년병으로 만들 목적이었습니다.

그날, 그는 미사에 참례하기 위해 마을로 내려갔고, 정말 보기 드문 사랑과 열정으로 미사를 봉헌했습니다. 이 가난한 농부가 미사 중에 얼마나 열정적으로 기도했는지를 주님께서 제게 보여 주셨습니다. 그는 이렇게 기도했습니다. "나의 주 하느님, 주님을 사랑합니다. 제 삶, 제 가족들, 제 아이들에게 주신 모든 은총에 감사합니다."

그의 기도는 온통 감사와 찬미뿐이었습니다. 그는 지폐 두 장을 가지고 있었는데, 한 장은 일만 페소였고 다른 한 장은 오천 페소였습니다. 가난하고 불쌍한 자신의 처지에도 불구하고 그는 봉헌금으로 오천 페소가 아닌 일만 페소짜리 지폐를 봉헌 바구니에 넣었습니다. 이게 도대체 가능한 일인가요! 그때껏 저도 그런 금액의 돈을 봉헌한 적이 없었으니 말입니다. 위조 지폐라면 몰라도….

그리고 미사가 끝난 후 그는 얼마 안 되는 남은 돈으로 빵 몇 개와 소금을 샀습니다. 시골에서는 늘 그렇듯, 그 생필품은 낡은 신문지로 싸여 그에게 건네졌습니다. 참고로, 그 신문은 우리나라 콜롬비아에서 발행되는 일간지로, 그 전날 발행된 '엘 에스펙타도르' 였습니다.

그가 집에 도착하여 빵을 싼 신문을 펼쳤을 때입니다. 그는 거기서, 전날 판의 한 면에 실린, 숯이 된 제 몸을 찍은 사진을 보았습니다. 사고 현장에서 구급대원이 든 들것에 놓인 제 모습 이었습니다.

이 순진한 사람은 사진 아래의 제목과 세부 기사를 읽을 수는 없었지만, 그 사진을 보는 즉시 조금도 지체 없이 그 자리에 바로 무릎을 꿇고는 애절하게 가슴이 에이듯 울기 시작했습니다. 그리고는 너무도 크고 깊은 사랑과 헌신적인 친절과 연민으로 울며 이렇게 기도했습니다. "하늘에 계신 아버지 하느님, 저의 자매를 불쌍히 여기소서. 주님, 그녀를 구해 주소서. 주님, 그녀를 도와주소서. 주님, 그녀가 지옥에 빠지지 않도록 해 주시고, 자비를 보여 주소서. 그녀를 주님 품에 받아 주소서. 주님께서 그 불쌍한 자매를 구해 주신다면, 저는 그 보답으로 부가 성지(주. 콜롬비아 남서쪽에 있는 성모 순례 성지)로 순례를 가겠습니다. 이 약속을 정말 지킬 테니, 주님께서 그 불쌍한 자매를 도와주시고 구원해 주소서!"

이게 도대체 말이 됩니까! 자신과 자기 가족들이 배를 곯고 있는데도 하느님에 대해 욕하거나 저주를 퍼붓지도 않는 이런 순진한 농부가 있다는 게 말이 됩니까! 저로서는 도저히 상상할 수 없을 만큼 참되고 헌신적인 사랑을 지닌 그 사람이 지금, 전혀 알지도 못하고 생전 만난 적도 없는 누군가를 위해 그 넓은 우리나라를 횡단해서 성지순례를 가겠다고 주님께 약속하고 있습니다. 이게 도대체 가능한 일인가요! 제가 지금 여러분 앞에 서 있을 수 있는 것은 바로 그 시골 농부 덕택입니다.

그리고 주님께서 말씀하셨습니다. "자, 보아라. 바로 이것이 이웃에 대한 사랑이다!"

우리에게 주어진 두 번째 기회

이어서 주님께서 제게 다음과 같이 말씀하셨습니다.

"너는 지상으로 되돌아가게 될 것이다. 하지만 너는 이 체험을 천 번뿐 아니라 그 천 배인 백만 번이라도 이야기하고 전해야 한다. 네가 전하는 이야기를 듣고도 자신을 바꾸려고 하지 않는 사람들이 있을 것이다. 그런 사람들에게는 내가 좀더 엄격한 잣대를 들이댈 것이다. 마찬가지로, 너도 다음번에 올 때는 더 엄격한 잣대로 심판받게 될 것이다. 기름 바른 자들, 즉 봉헌된 사제들과 수도자들도 더 엄격한 기준에 따라 심판받게 될 것이다. 내가 행한 이 세상의 기적들을 들어서 알고 있는 사람들 모두 더 엄격한 잣대로 심판받는다고 느끼게 될 것이다. 그 이유는 듣기를 거부하는 이는 가장 사악한 귀머거리이며, 보기를 거부하는 이는 가장 사악한 장님이기 때문이다."

주님 안의 형제자매님들께 다시 강조합니다. 제가 여기 전하는 것들은 결코 여러분을 협박하거나 위협하기 위한 것이 아니며, 여러분에게 강요하는 것도 아닙니다. 왜냐하면 우리 주님께서는 우리를 위협하거나 강제하실 필요가 없기 때문입니다.

여러분이 오늘 들은 것, 여러분이 방금 읽은 것은 여러분에게 주어진 두 번째 기회입니다. 저와 여러분이, 우리 모두가, 하느님의 무한한 선과 자비 덕분에 얻은 기회입니다. 그러므로 이 기회를 절대 놓치지 말고 이용하십시오. 아마 이것이 여러분에게 주어진 마지막 기회일 수 있습니다. 저도 하느님의 자비 덕분에 그 엄청난 사고에서 살아남을 수 있었습니다. 하느님의 자비 덕분에 제가 여러분께 이 모두를 전해 드릴 수 있게 된 것입니다.

언젠가 여러분 각자의 앞에 "생명의 책"이 펼쳐지게 되면, 즉 여러분이 죽어서 영원의 세계로 건너가게 되면, 제가 전해 드린 것들과 매우 유사한 과정을 체험하게 될 것이며, 비로소 자신의 참모습을 보게 될 것입니다.

하느님께서 현존하신 자리에서는 상대방의 깊숙한 곳에 있는 생각과 비밀스런 감정들도 모조리 보고 알게 됩니다. 모든 것이 밝혀지고, 그 어떤 것도 비밀로 남아 있을 수 없으며, 하느님 앞에서 감출 수 있는 것은 아무것도 없습니다. 그때 가장 황홀한 일은 우리 모두가 직접 주님 앞에 서게 된다는 것이며, 우리 개개인이 그분과 얼굴을 마주보며 서게 된다는 것입니다.

우리는 전혀 의식하지도 못하고 눈치 채지도 못하고 살아가지만, 우리 생애 내내 주님께서는 끊임없이 우리에게 "애걸하시며 부탁하고" 계십니다. 우리가 회개하여 새로운 삶을 시작하여서 아버지의 집으로 돌아오도록, 또 주님과 함께 주님을 통해 새사람이 되도록 늘 계속적으로 우리에게 "애걸하고 부탁하고" 계십니다. 왜냐하면 그분의 도움 없이는 우리에게 그 어떤 것도 가능하지 않기 때문입니다.

우리 주 하느님께서 여러분 모두에게 넘치도록 풍성한 축복과 은총을 부어 주시길 빕니다.

우리를 창조하시고 우리를 극진히 사랑하시는 성부 하느님께
모든 영광을 바치나이다.

십자가의 고통으로 우리를 모든 죄에서 구원하시고
고귀한 성혈로 우리가 지은 모든 죄의 허물을 씻어 주시며
고귀한 성체로 우리를 해방시키신 성자 예수 그리스도께
모든 영광을 바치나이다.

우리를 거룩하게 하시고
은총의 힘으로 우리를 굳건하게 하시며
미리 약속하신 것처럼
주님께서 다시 오실 때까지
우리를 위로해 주시고 도와주시는 성령 하느님께
모든 영광을 바치나이다.

오소서, 주님!
모든 것을 새롭게 하시고
주님의 나라가 건설될 시간이 시작되게 하소서.
모든 것을 새롭게 하시고
주님의 사랑과 평화의 왕국을 저희에게 열어 주소서.
아멘.

존경하는 글로리아 콘스탄차 폴로 박사에게,
주님의 평화와 사랑의 은총을 진심으로 기원합니다.

아르메니아 지역교회의 목자인 나는 박사님이
우리 교구에서 활동적인 평신도들이 조직한 모임에 참여하여
말씀을 전하고 신앙을 증거하는 것을 허락합니다.

이 모임은 2007년 11월 18일 "참된 그리스도인이 살아가야 할
의식의 형성"이라는 주제의 세미나를 계기로 형성되었습니다.

나는 박사님이 하느님의 역사를 증거하기 위해 하게 될
모든 중요한 일에 대해 미리 감사드리고 강복을 드립니다.

콜롬비아 아르메니아 교구
프레이 파비오 두퀘 자라밀로 주교, OFM

이 책을 읽는 모든 신앙인들에게,

나는 글로리아 폴로 박사가 건실한 신앙을 가진 사람임을 증명합니다. 그는 언제나 가톨릭 교회를 위해 일해 왔습니다. 따라서 그는 자신의 생명 체험을 통해 얻은 개인적인 신앙의 확신으로 사람들에게 복음을 전하는 일에 매진할 수 있다고 생각합니다.

그는 굳건한 신앙을 가졌고, 내가 영적 지도자로서 그를 지도해온 지난 8년 동안 그는 신실한 기도생활과 예수 그리스도께 대한 믿음을 통해 신앙인으로서 훌륭한 모범을 보였습니다.

특히 나는, 그가 경건하고 올바른 태도로 성인에 가까운 신앙생활을 해왔고 우리 주 예수 그리스도의 복음을 전파하는 데 분골쇄신한 것을 칭찬하고 싶습니다.

나는 그가 콜롬비아를 비롯한 세계 여러 나라에서 펼치고 있는 복음 증거 활동의 가치를 높이 평가하며 그것에 오류가 없음을 증거합니다. 그는 언제나 영적인 인도를 따르고 가톨릭 교회에 순명하고 있으며, 그가 전하는 것은 교회의 신앙교리에 바탕을 두고 있습니다.

+ *Seay Saho Deeque Jaimun Elo, Jon*

콜롬비아 보고타 대교구 성 십자가 주교좌 성당
윌슨 알렉산더 모라 G. 신부

벼락을 맞았습니다
나를 살리신 하느님

교구인가	2008년　12월 16일 (부산교구)
초판1쇄	2009년　4월 15일
초판7쇄	2009년　7월 29일
지 은 이	글로리아 폴로 오르티츠
펴 낸 이	하 안토니오 몬시뇰
펴 낸 곳	아베마리아출판사
주　　소	부산광역시 남구 우암 2동 127-166번지
편 집 부	Tel (051) 635-4503, Fax (051) 644-4503
판 매 부	Tel (051) 631-2929, 631-2009
	Fax (051) 644-4503
등　　록	제 가 7-26호

I S B N 978-89-90243-61-4 03230
ⓒ 아베마리아, 2009

http://avemaria.sihm.or.kr
pusanave@catholic.or.kr

6,000원